'사고력수학의 시작'

팡세

pensées

P3

7세 | 유추

사고력 수학을 묻고 팡세가 답해요

Q: 사고력 수학은 '왜' 해야 하나요?

사고력 수학은 아이에게 낯선 문제를 접하게 함으로써 여러 가지 문제 해결 방법을 아이 스스로 생각하게 하는 것에 목적이 있어요. 정석적인 한 가지 풀이법만 알고 있는 아이는 결국 중등 이후에 나오는 응용 문제에 대한 해결력이 현저히 떨어지게 되지요. 반면 사고력 수학을 통해 여러 가지 풀이법을 스스로 생각하고 알아낸 경험이 있는 아이들은 한 번 막히는 문제도 다른 방법으로 뚫어낼 힘이 생기게 된답니다. 이러한 힘을 기르는 데 있어 사고력 수학이 가장 크게 도움이 된다고 확신해요.

Q: 사고력 수학이 '필수'인가요?

No but Yes! 초등 수학에서 가장 필수적인 것은 교과와 연산이지요. 또 중등에서의 서술형 평가를 대비하기 위한 서술형 학습과 어려운 중등 도형을 헤쳐나가기 위한 도형 학습 정도를 추가하면 돼요. 사고력 수학은 그 다음으로 중요하다고 할 수 있어요. 다만 만약 중등 이후에도 상위권을 꾸준하게 유지하겠다고 하시면 사고력 수학은 필수랍니다.

Q: 사고력 수학, 꼭 '어려운' 문제를 풀어야 하나요?

No! 기존의 사고력 수학 교재가 어려운 이유는 영재교육원 입시 때문이었어요. 상위권 중에서도 더 잘하는 아이, 즉 영재를 골라내는 시험에 사고력수학 문제가 단골로 출제되었고, 이에 대비하기 위해 만들어진 것이 초창기 사고력 수학 교재이지요. 하지만 모든 아이들이 영재일 수는 없고, 또 그래야할 필요도 없어요. 사고력 수학으로 영재를 확실하게 선별할 수 있는 것도 아니에요. 따라서 사고력 수학의 원래 목적, 즉 새로운 문제를 풀 수 있는 능력만 기를 수 있다면 난이도는 중요하지 않답니다. 오히려 어려운 문제는 수학에 대한 아이들의 자신감을 떨어뜨리는 부작용이 있다는 점! 반드시 기억해야 해요.

Q: 사고력 수학 학습에서 어떤 점에 '유의'해야 할까요?

가장 중요한 것은 아이가 스스로 방법을 생각할 수 있는 시간을 충분히 주는 거예요. 엄마나 선생님이 옆에서 방법을 바로 알려주거나 해답지를 줘버리면 사고력 수학의 효과는 없는 거나 마찬가지랍니다. 설령 문제를 못 풀더라도 아이가 스스로 고민하는 습관을 가지고, 방법을 찾아가는 시간을 늘리는 것이 아이의 문제해결력과 집중력을 기르는 방법이라고 꼭 새기며 아이가 스스로 발전할 수 있는 가능성을 믿어 보세요.
또 하나 더 강조하고 싶은 것은 문제의 답을 모두 맞힐 필요가 없다는 거예요. 사고력 수학 문제를 백점 맞는다고 해서 바로 성적이 쑥쑥 오르는 것이 아니에요. 사고력 수학은 훗날 아이가 더 어려운 문제를 풀기 위한 수학적 힘을 기르는 과정으로 봐야 하는 거지요. 그러니 아이가 하나 맞히고 틀리는 것에 일희일비하지 말고 우리 아이가 문제를 어떤 방법으로 풀려고 했고, 왜 어려워 하는지 표현하게 하는 것이 훨씬 중요하답니다. 사고력 수학은 문제의 결과인 답보다 답을 찾아가는 과정 그 자체에 의미가 있다는 사실을 꼭! 꼭! 기억해 주세요.

팡세의 구성과 특징

1. 패턴, 퍼즐과 전략, 유추, 카운팅 – 새로운 시대에 맞는 새로운 사고력 영역!
2. 아이가 혼자서도 술술 풀어나가며 자신감을 기르기에 딱 좋은 난이도!
3. 하루 10분 1장만 풀어도 초등에서 꼭 키워야 하는 사고력을 쑥쑥!

일일 소주제 학습

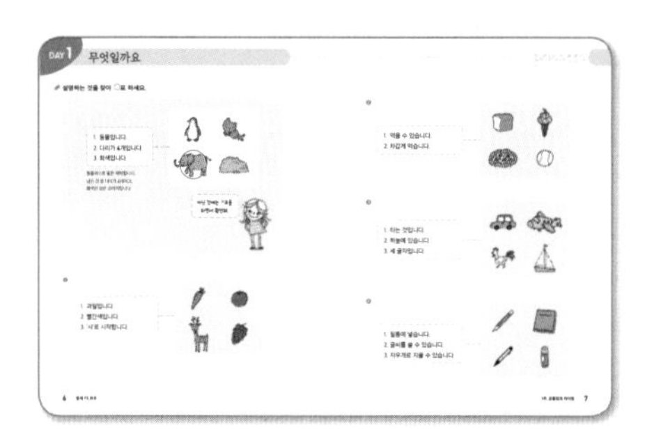

하루에 10분씩
매일 1장씩만
꾸준히 풀면 돼.

주차별 확인학습

5일 동안 배운 것 중
가장 중요한 문제를
복습하는 거야!

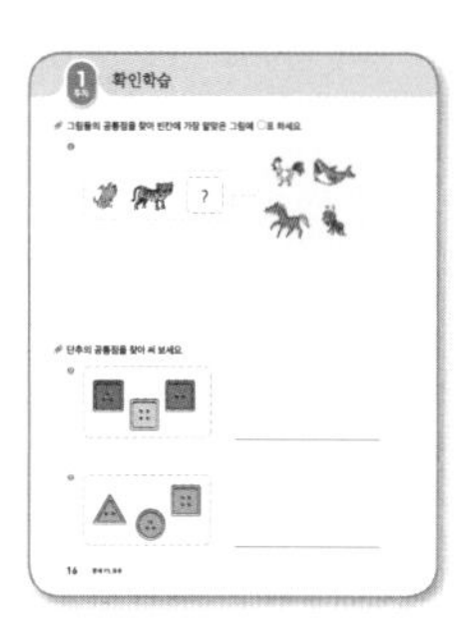

월간 마무리 평가

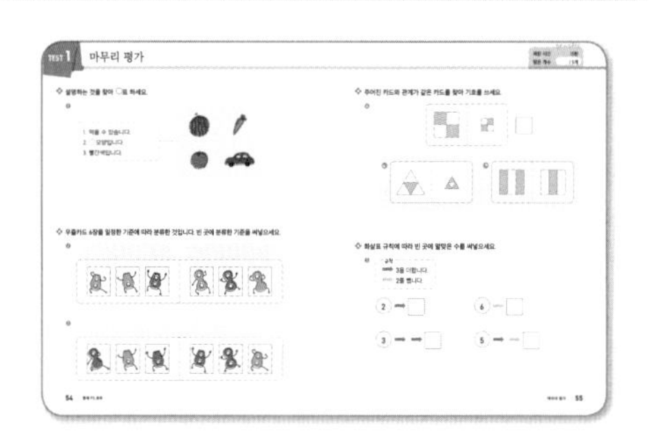

4주 동안 공부한
내용 중 어디가 부족한지
알 수 있다. 삐리삐리~

이 책의 차례

P3

pensées

1
주차

공통점과 차이점

무엇일까요

설명하는 것을 찾아 ◯표 하세요.

1. 동물입니다.
2. 다리가 **4**개입니다.
3. 회색입니다.

동물이므로 돌은 제외됩니다.
남은 것 중 다리가 4개이고,
회색인 것은 코끼리입니다.

❶

1. 과일입니다.
2. 빨간색입니다.
3. '사'로 시작합니다.

❷

1. 먹을 수 있습니다.
2. 차갑게 먹습니다.

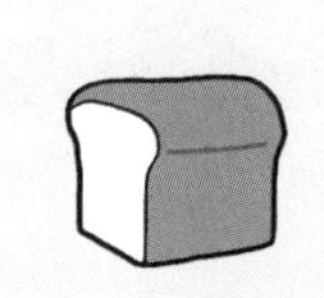

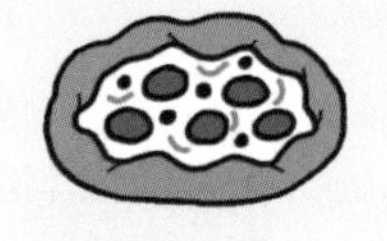
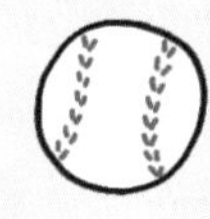

❸

1. 타는 것입니다.
2. 하늘에 있습니다.
3. 세 글자입니다.

❹

1. 필통에 넣습니다.
2. 글씨를 쓸 수 있습니다.
3. 지우개로 지울 수 있습니다.

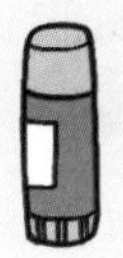

DAY 2 공통점 찾기

공통점을 찾아 선으로 이어 보세요.

❶ 

물에서 삽니다.

❷ 

부엌에 있는 물건입니다.

❸ 

하늘을 날 수 있습니다.

❹ 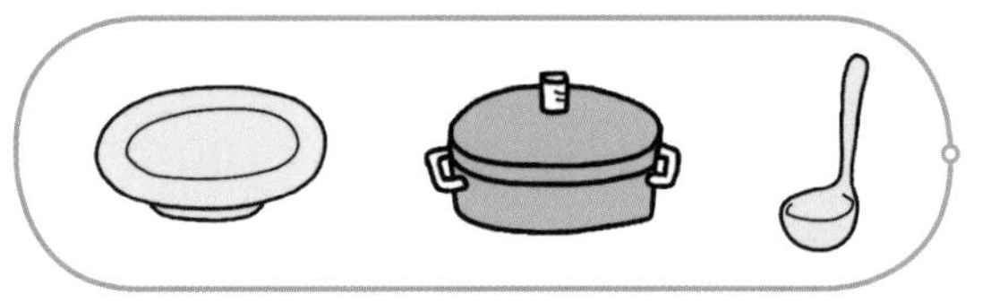

타고 다닐 수 있습니다.

❺ 

□ 모양입니다.

❻

화장실에 있는
물건입니다.

❼

○ 모양입니다.

❽

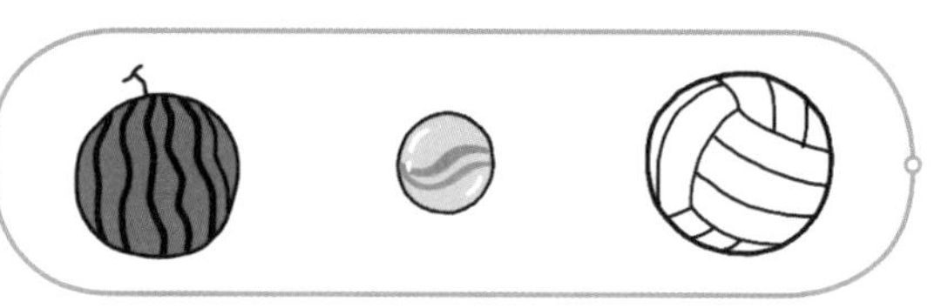

다리가 **4**개인
동물입니다.

❾

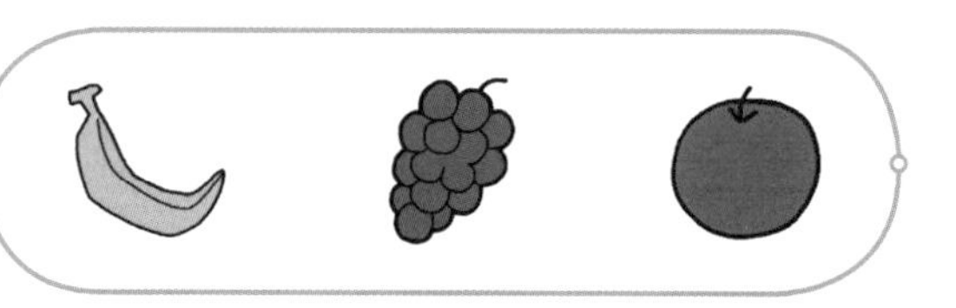

초록색입니다.

❿

과일입니다.

DAY 3 나머지와 다른 것

✎ 다른 그림과 어울리지 않는 것 1개를 골라 ×표 하세요.

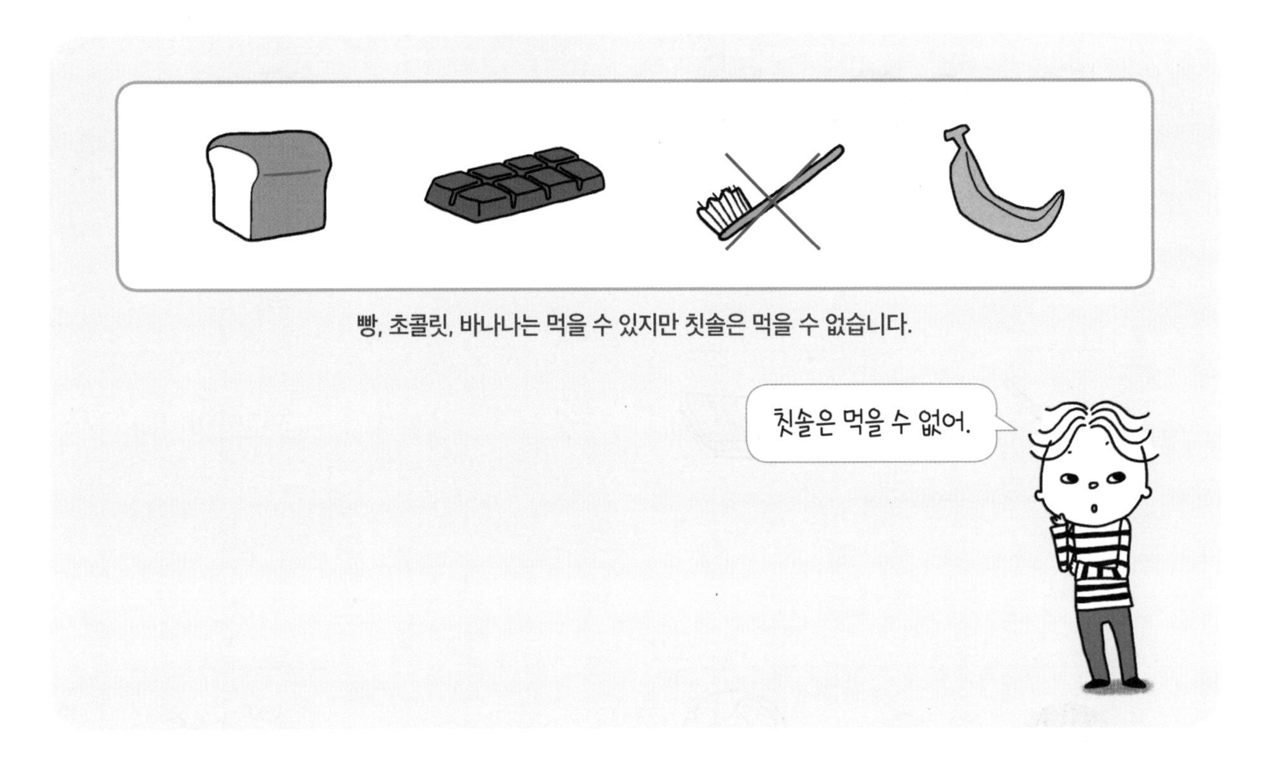

빵, 초콜릿, 바나나는 먹을 수 있지만 칫솔은 먹을 수 없습니다.

❶

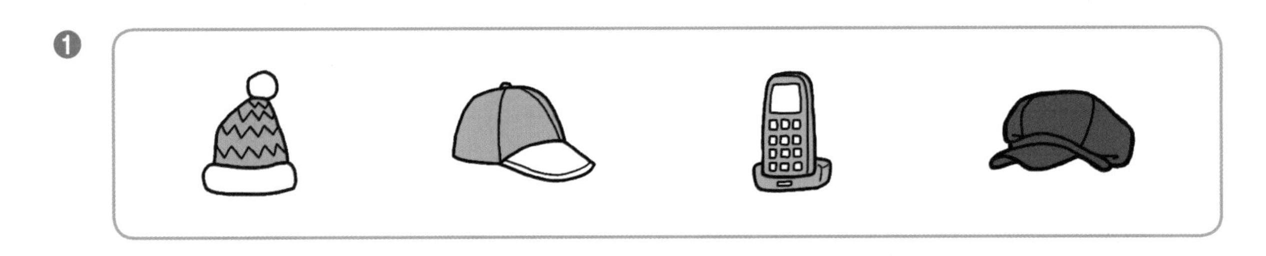

❷

❸

❹

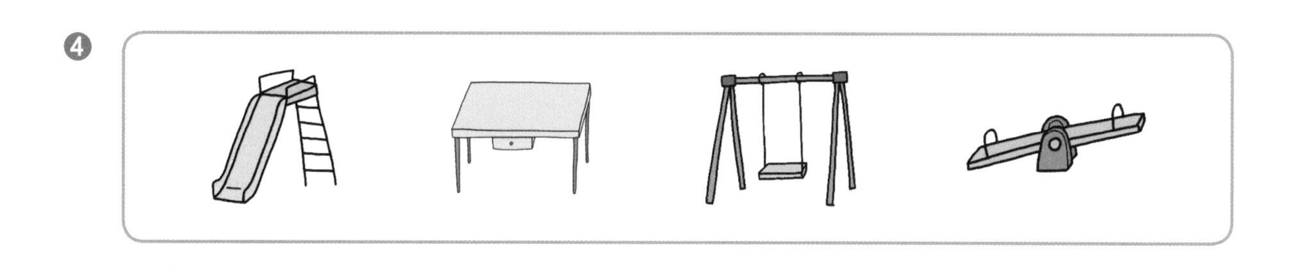

❺

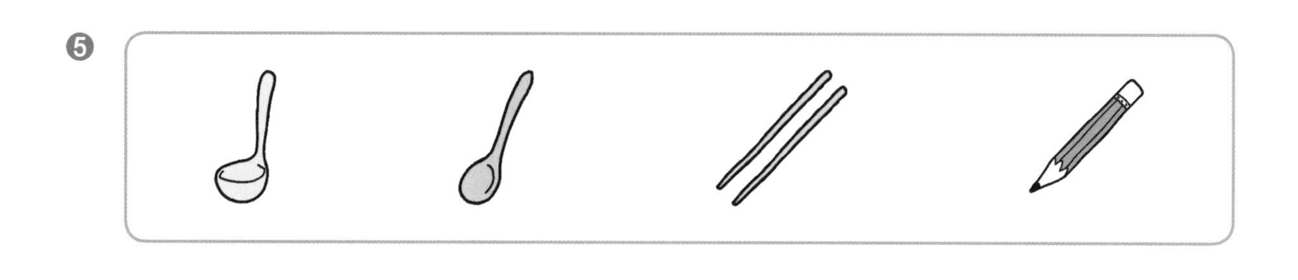

❻

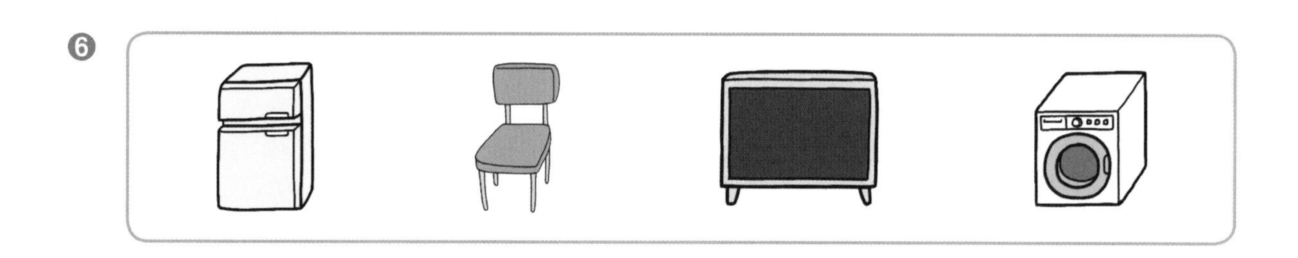

알맞은 그림 찾기

그림들의 공통점을 찾아 빈칸에 가장 알맞은 그림에 ◯표 하세요.

모두 과일이므로 알맞은 것은 귤입니다.

❶

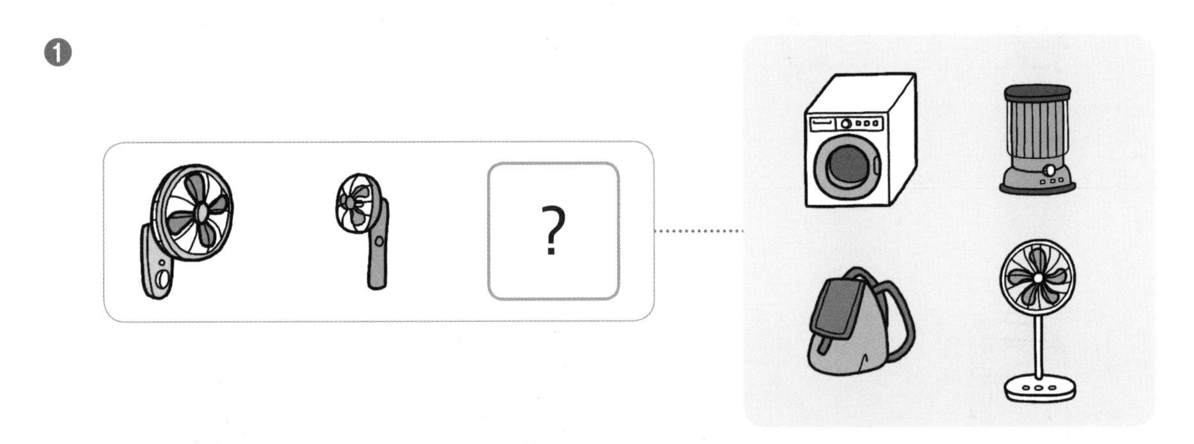

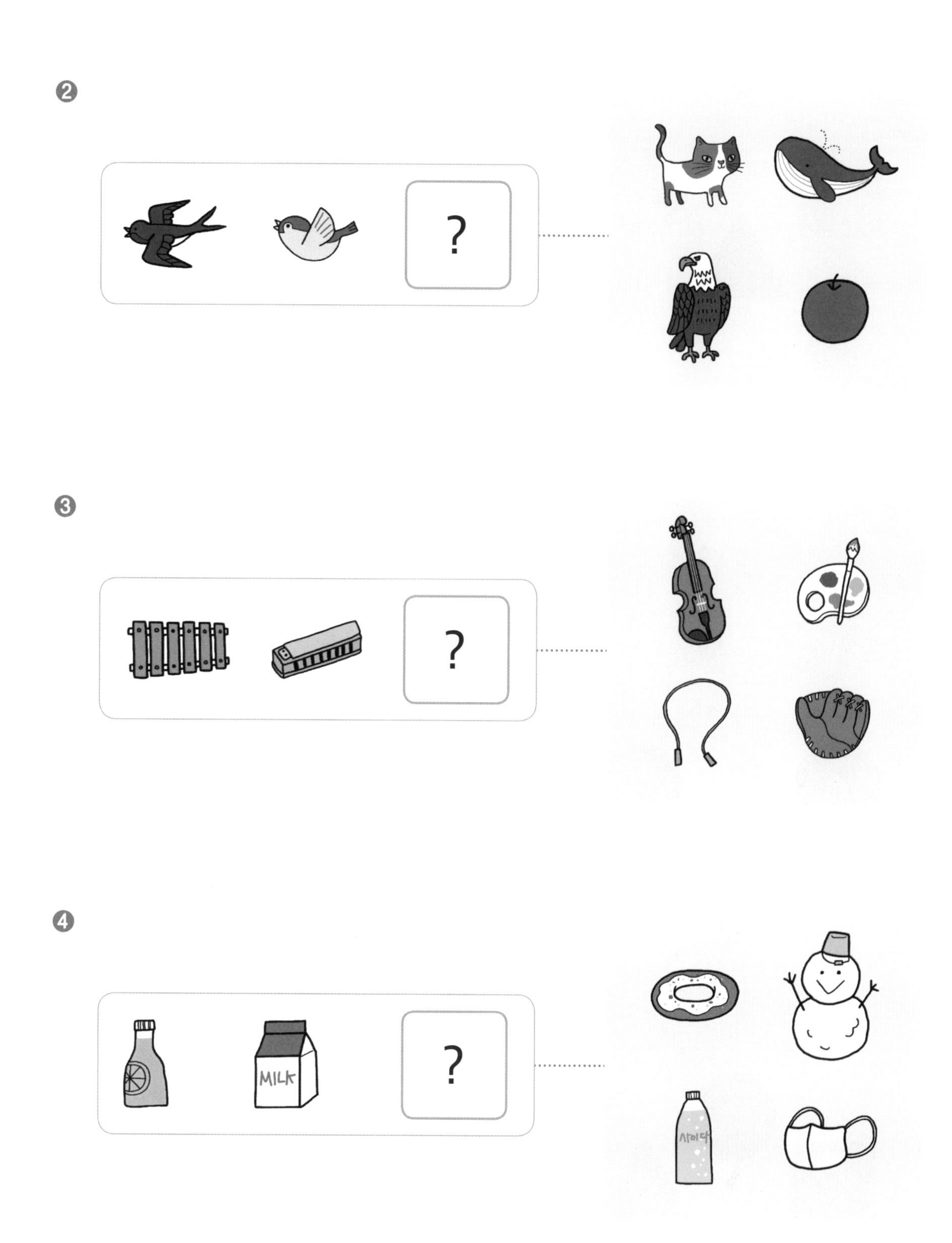
❷
?
❸
?
❹
?
MILK
사이다

DAY 5

단추의 공통점

단추의 공통점을 찾아 써 보세요.

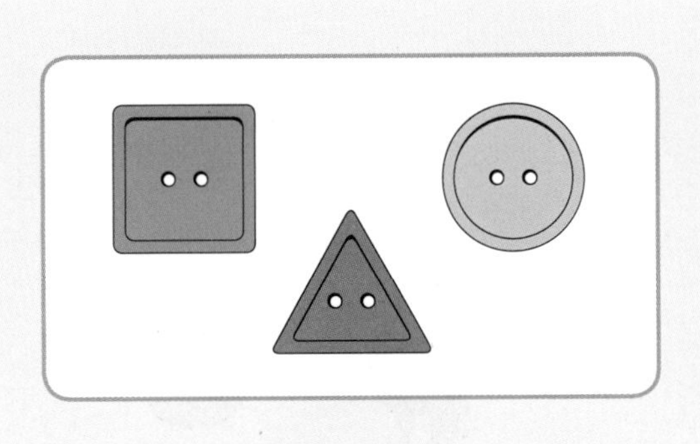

구멍이 2개입니다.

단추의 모양, 색깔,
구멍의 개수에서
공통점을 찾아봐.

❶

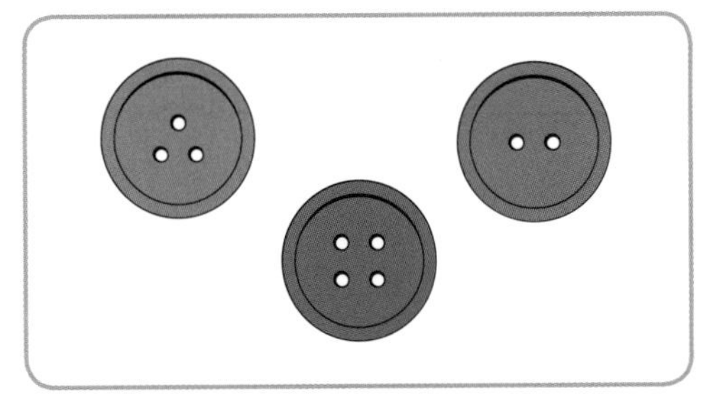

❷

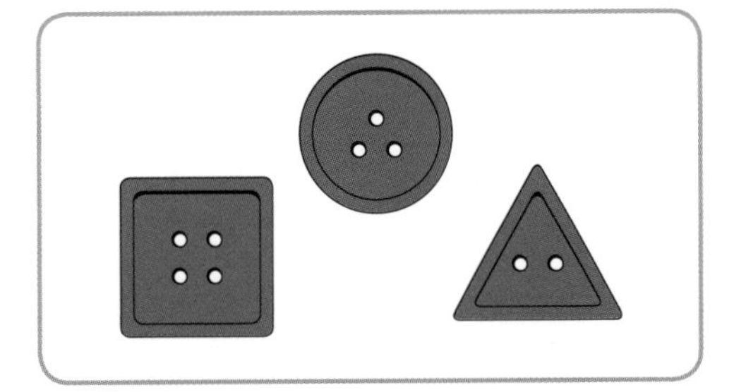

❸

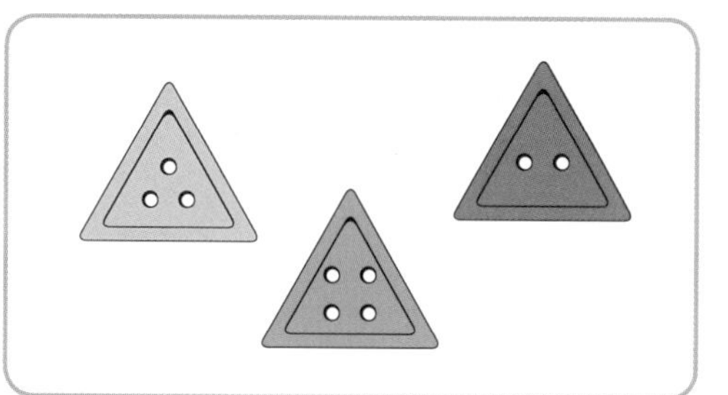

❹

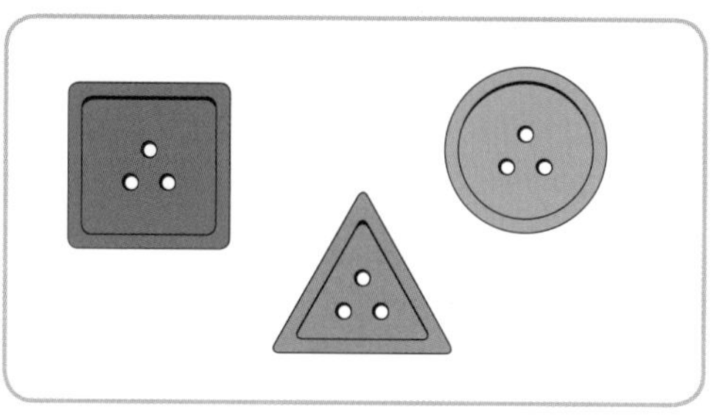

❺

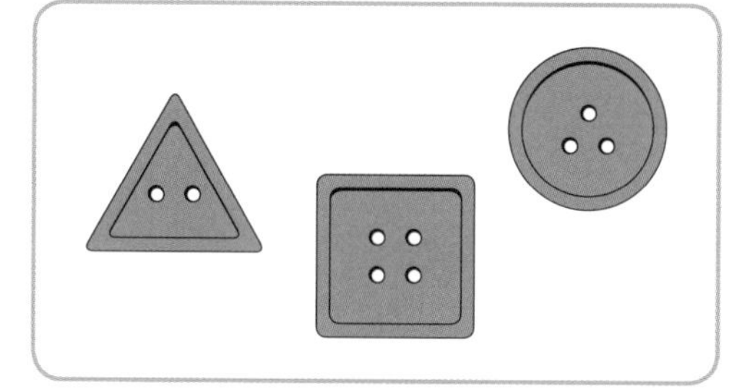

확인학습

그림들의 공통점을 찾아 빈칸에 가장 알맞은 그림에 ◯표 하세요.

❶

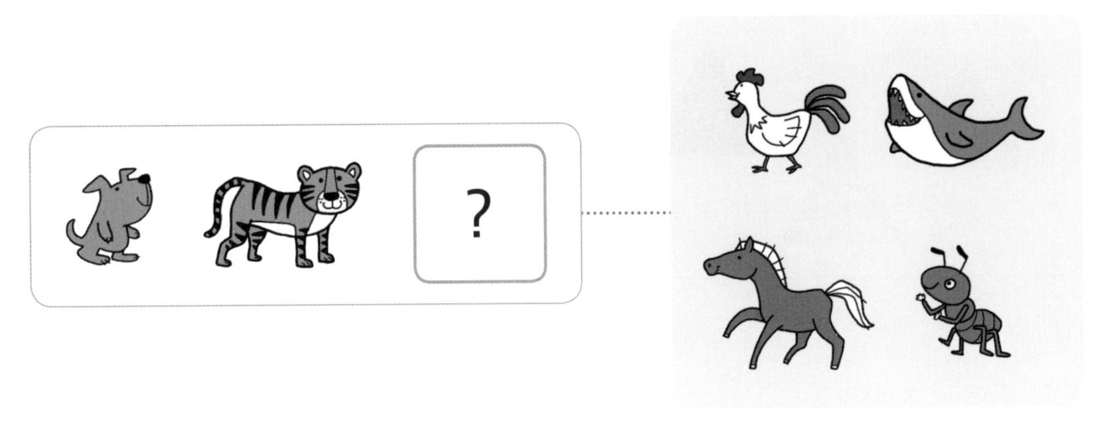

단추의 공통점을 찾아 써 보세요.

❷

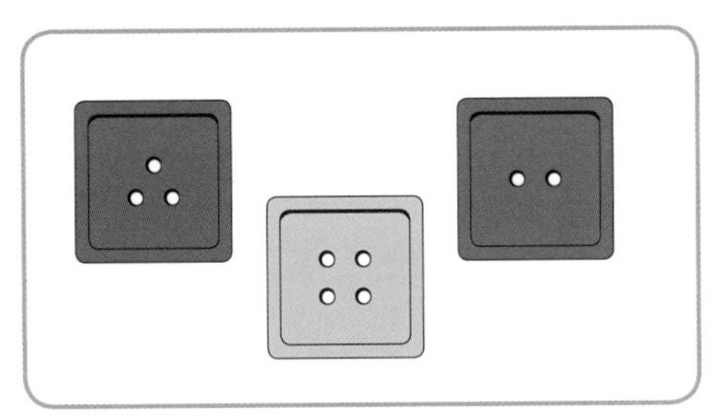

---

❸

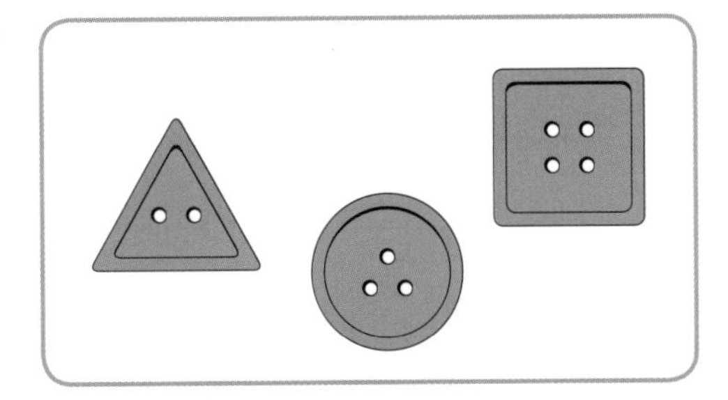

우즐카드

DAY 1

분류 기준 (1)

✎ 기준에 따라 분류한 것입니다. 빈 곳에 분류한 기준을 써넣으세요.

날 수 없습니다.

여러 가지 물건이나 동물 등을
같은 것과 다른 것으로
분류하기 위해 정하는 것을
기준이라고 해.

❶

❷

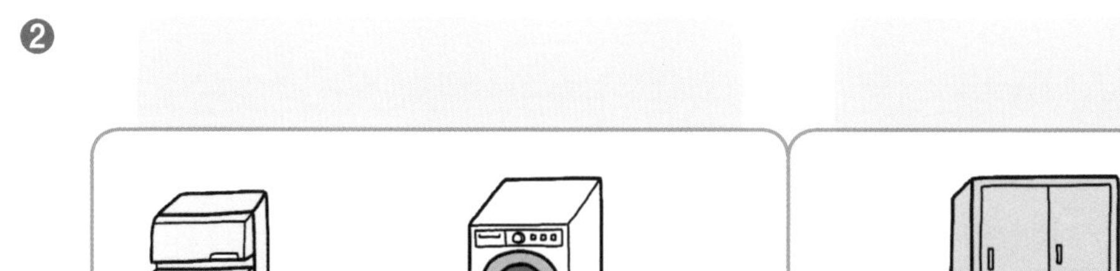

❸

❹

공통점

✎ 공통점을 찾아 선으로 이어 보세요.

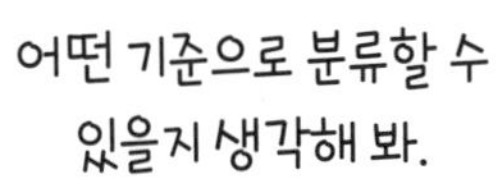

1. 모양에 따라 분류할 수 있습니다.
2. 색깔에 따라 분류할 수 있습니다.
3. 구멍의 개수에 따라 분류할 수 있습니다.

❶

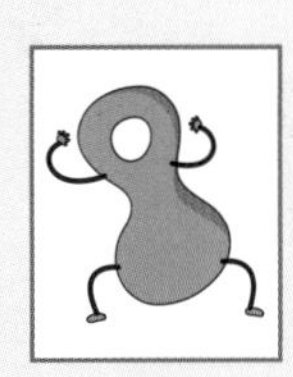

구멍이 **2**개입니다.

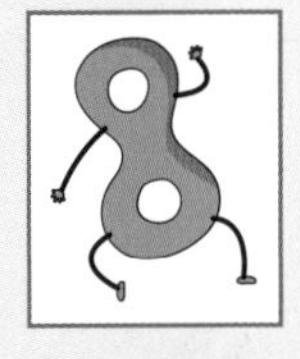

파란색입니다.

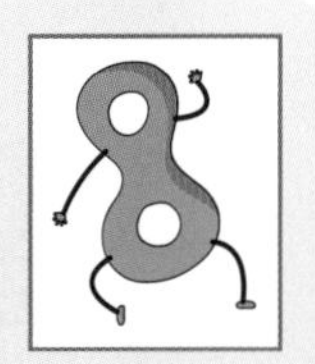

굽은 선으로 된
모양입니다.

❷

구멍이 1개입니다.

빨간색입니다.

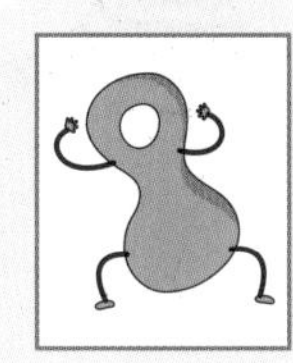  

굽은 선으로 된
모양입니다.

❸

  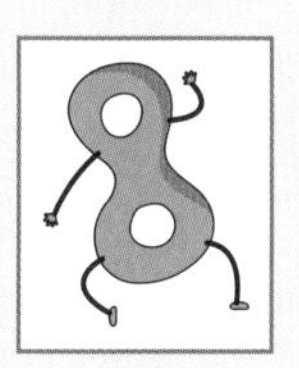

굽은 선으로 된
모양입니다.

곧은 선으로 된
모양입니다.

파란색입니다.

잘못 들어간 것

우즐카드를 공통점을 찾아 모은 것입니다. 잘못 들어간 것에 ×표 하세요.

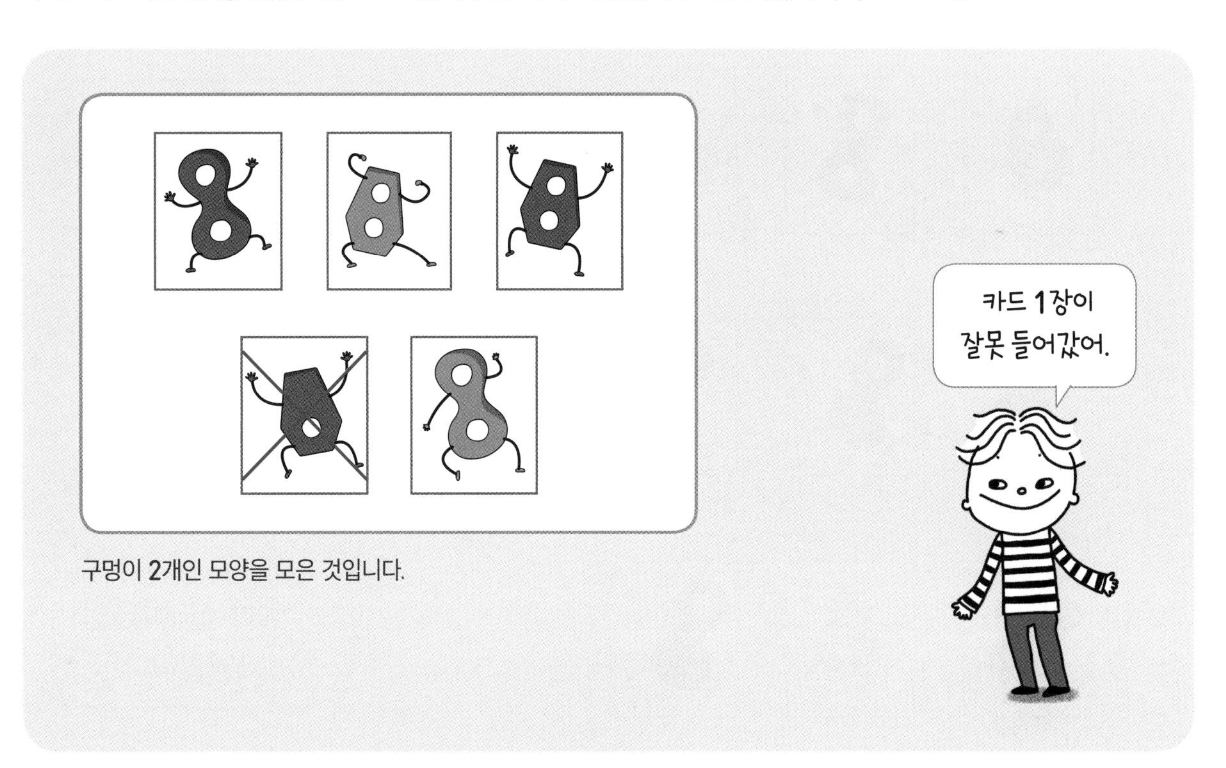

구멍이 2개인 모양을 모은 것입니다.

1

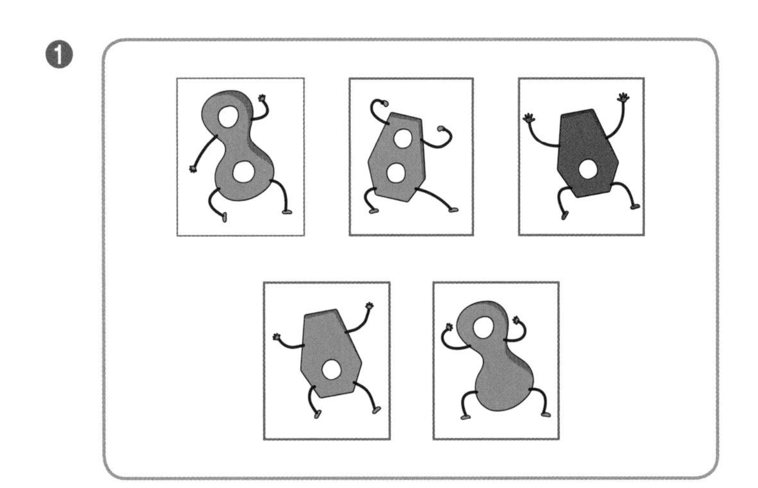

❷

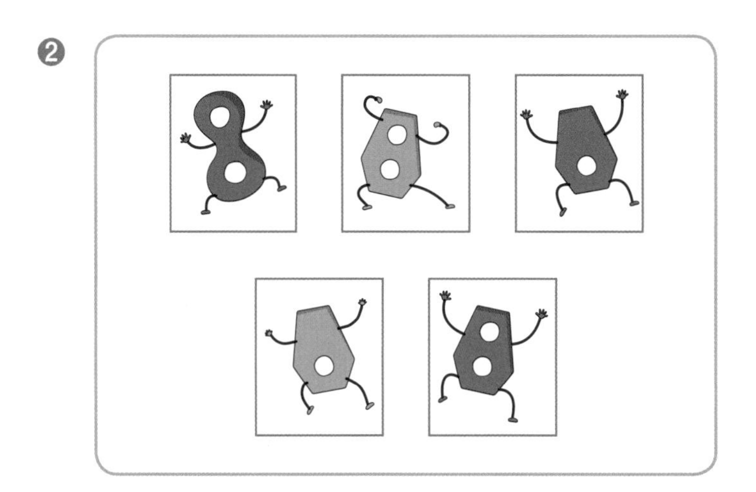

❸

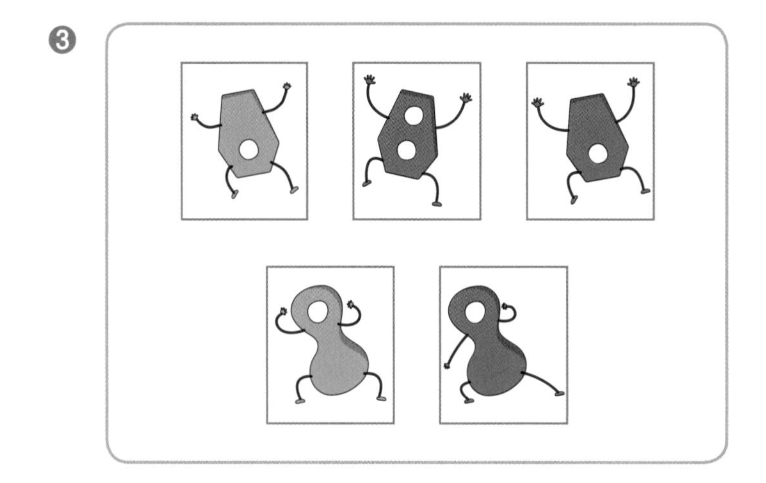

❹

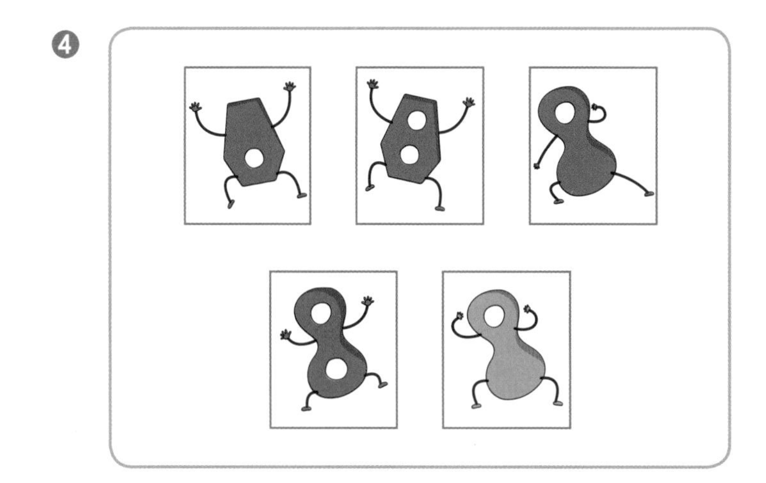

DAY 4

분류 기준 (2)

우즐카드 6장을 일정한 기준에 따라 분류한 것입니다. 빈 곳에 분류한 기준을 써넣으세요.

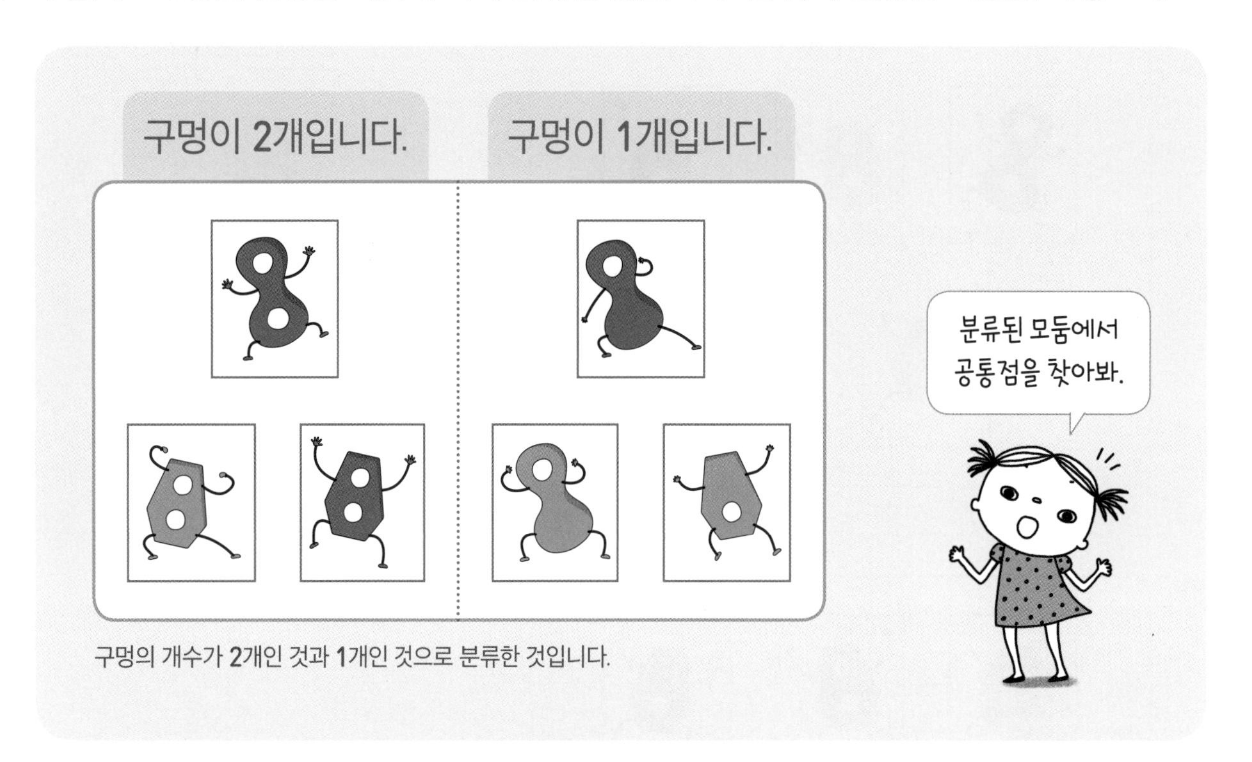

구멍이 2개입니다.
구멍이 1개입니다.
분류된 모둠에서
공통점을 찾아봐.

구멍의 개수가 2개인 것과 1개인 것으로 분류한 것입니다.

❶

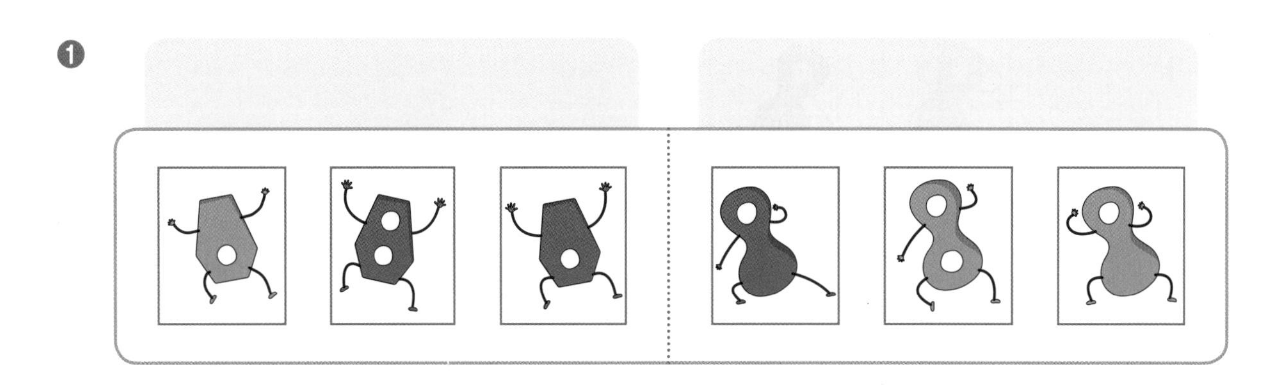

❷

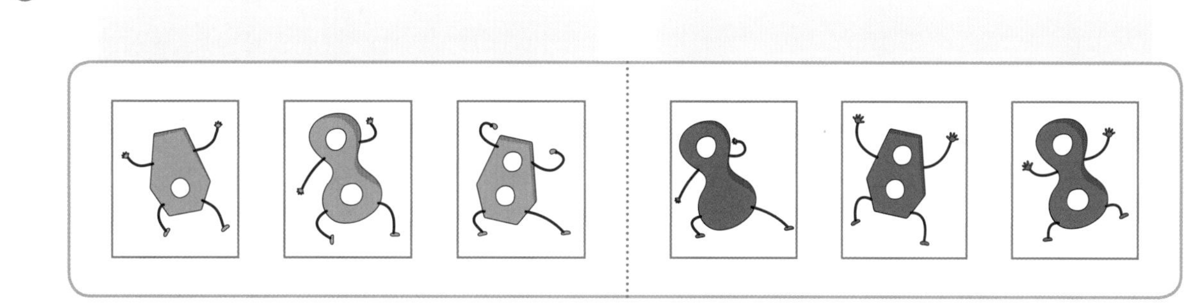

❸

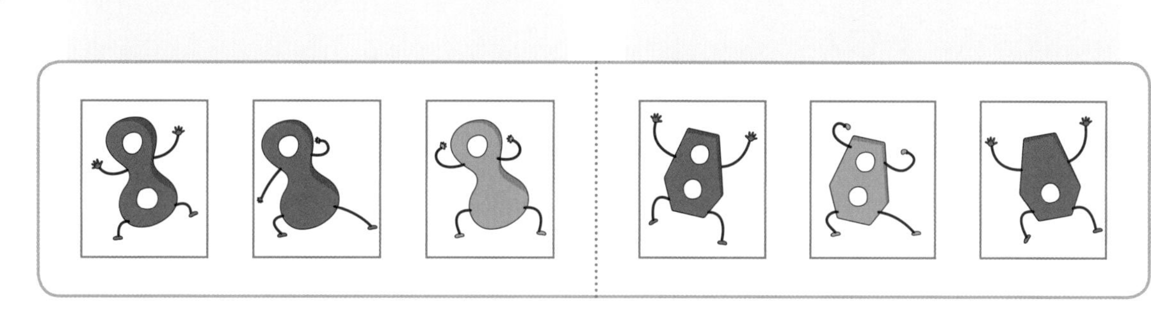

❹

도형 우즐카드

✎ 분류 기준에 따라 나눈 것입니다. 빈 곳에 알맞은 것의 기호를 쓰세요.

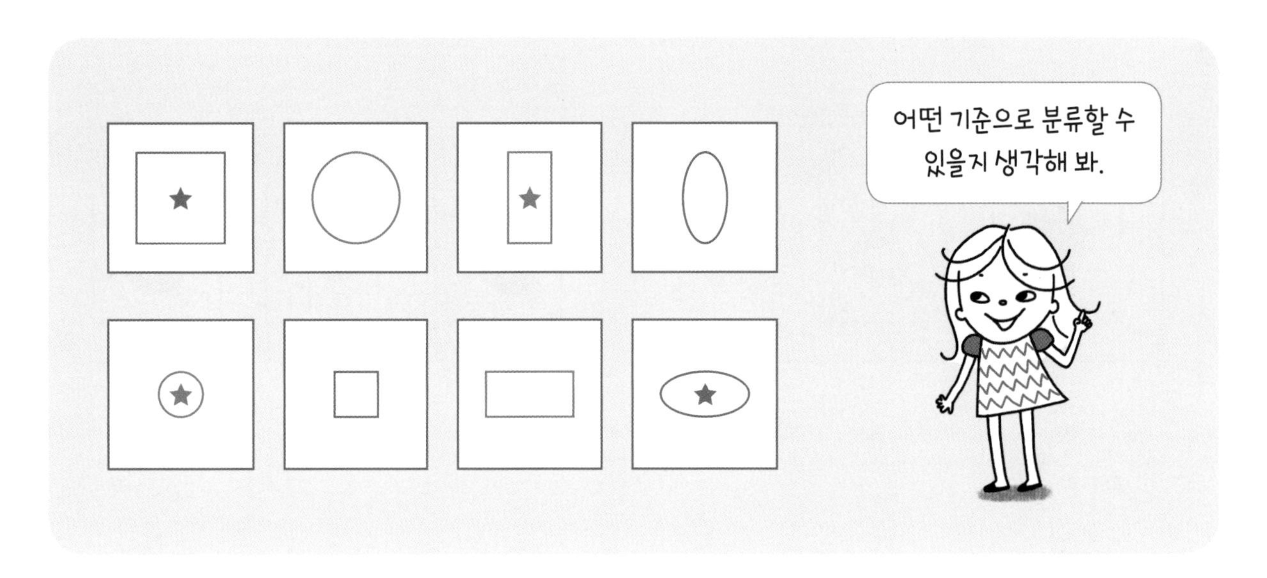

❶

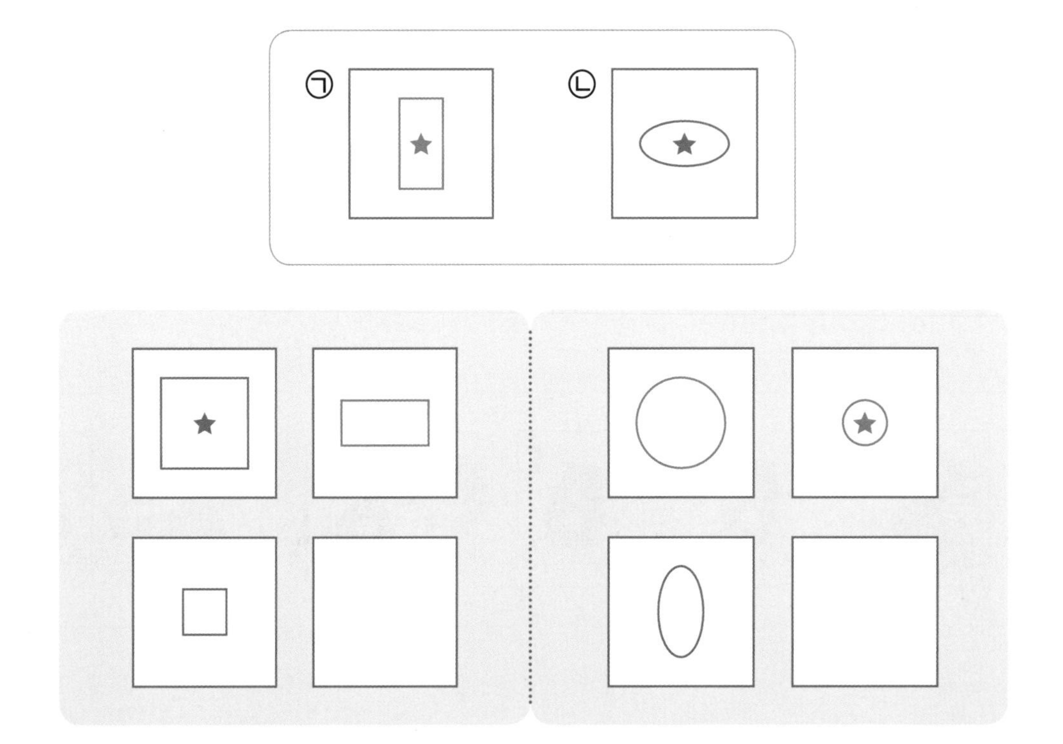

❷

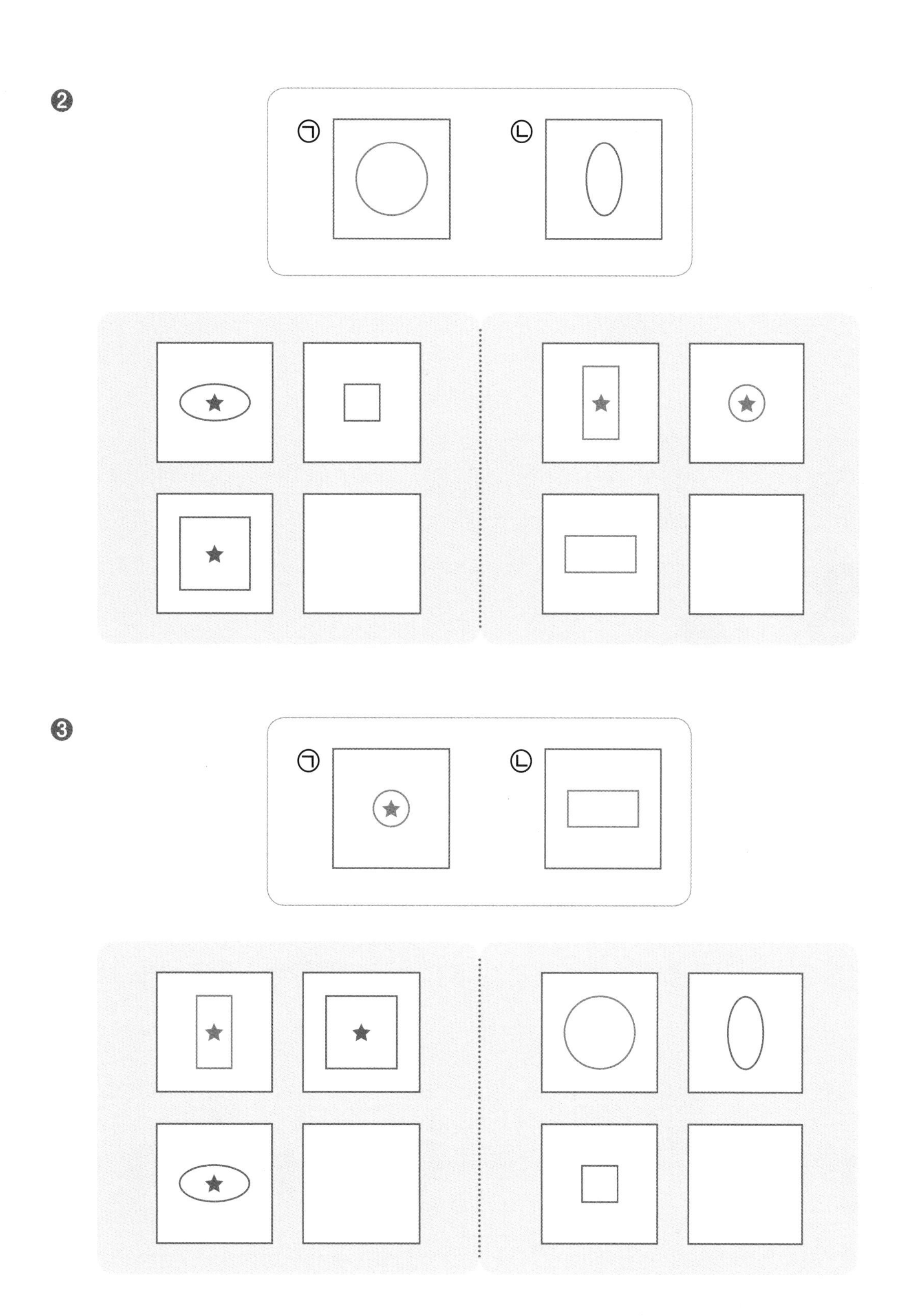

❸

확인학습

 우즐카드를 공통점을 찾아 모은 것입니다. 잘못 들어간 것에 ×표 하세요.

❶

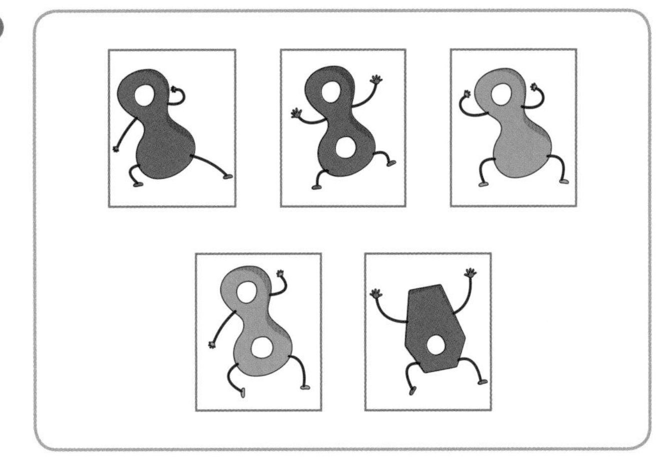

❷

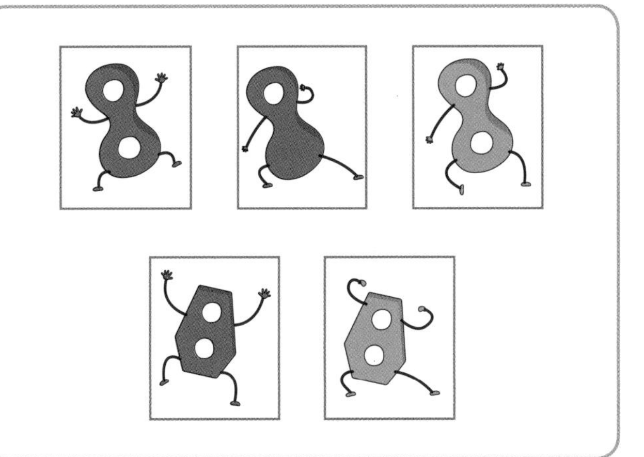

 우즐카드 6장을 일정한 기준에 따라 분류한 것입니다. 빈 곳에 분류한 기준을 써넣으세요.

❸

3
주차

관계 추리

관계 있는 물건

왼쪽의 관계를 보고 빈 곳에 알맞은 단어를 쓰세요.

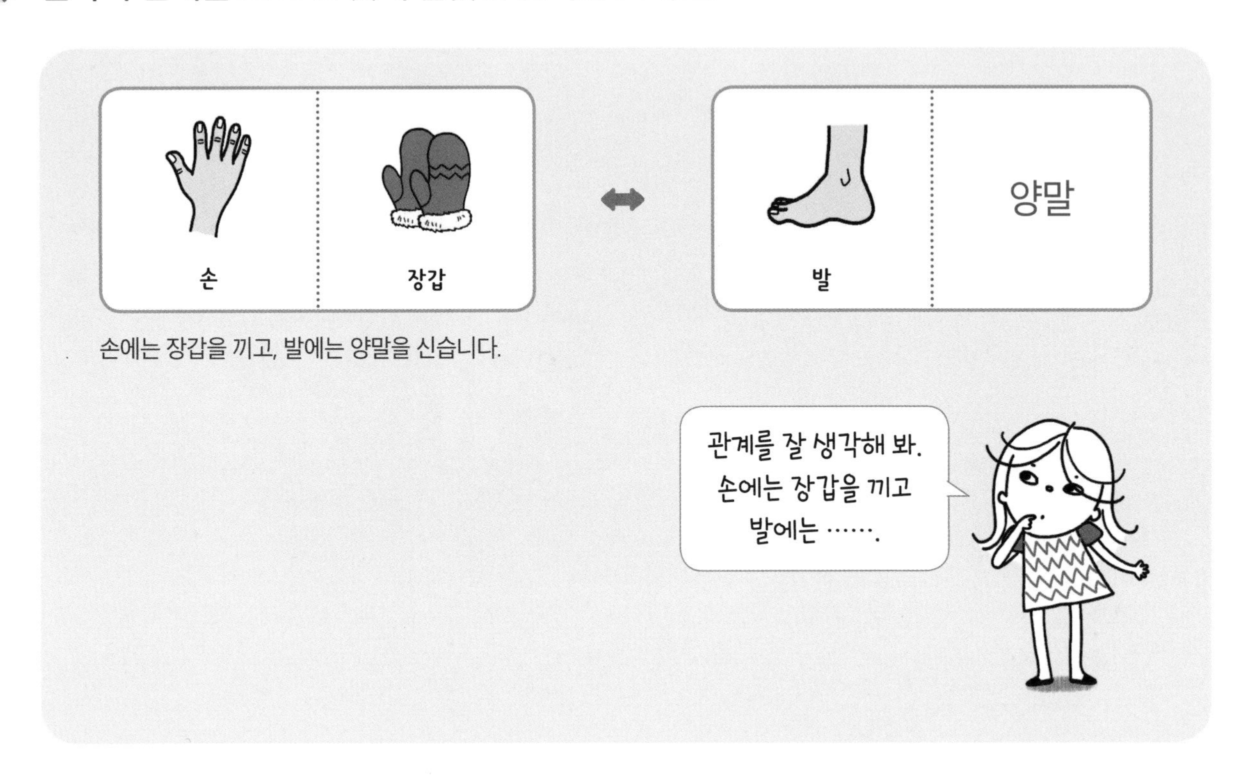

❶

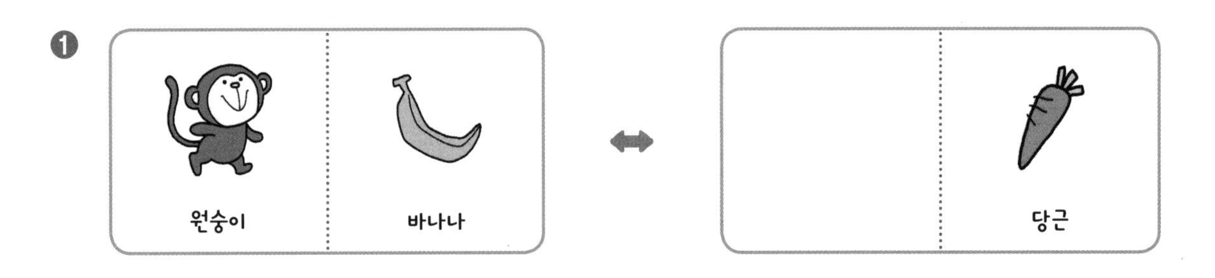

❷

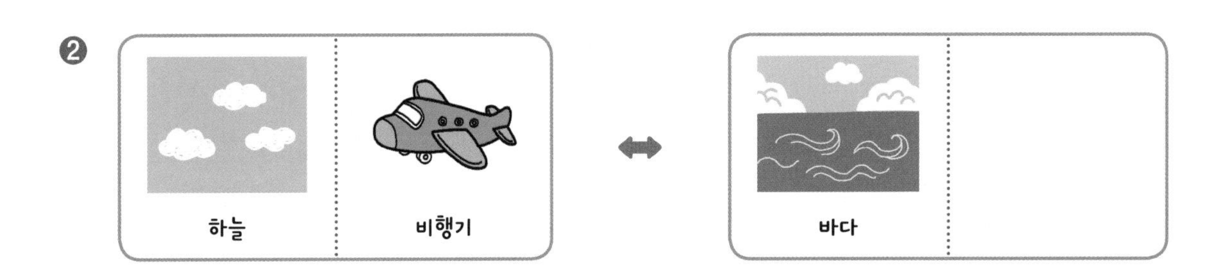

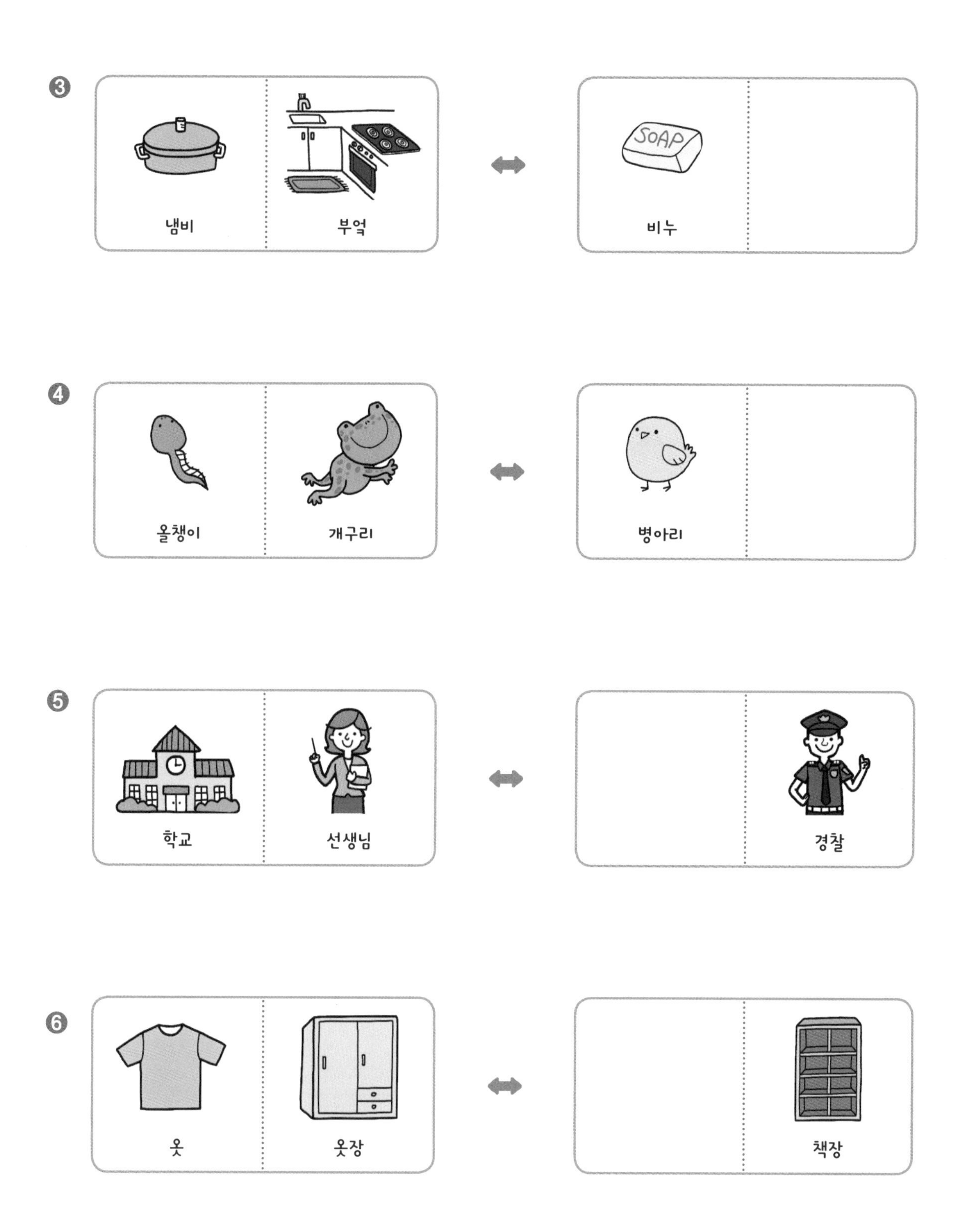
③
냄비
부엌
SOAP
비누
④
올챙이
개구리
병아리
⑤
학교
선생님
경찰
⑥
옷
옷장
책장

DAY 2

관계가 같은 것 (1)

관계가 같은 것끼리 선으로 이어 보세요.

❶

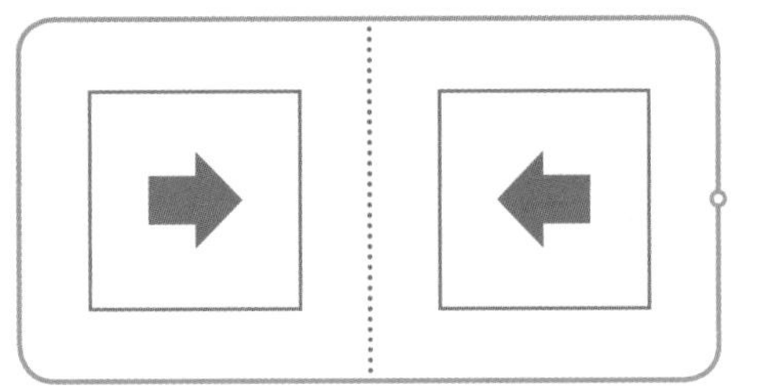

❷

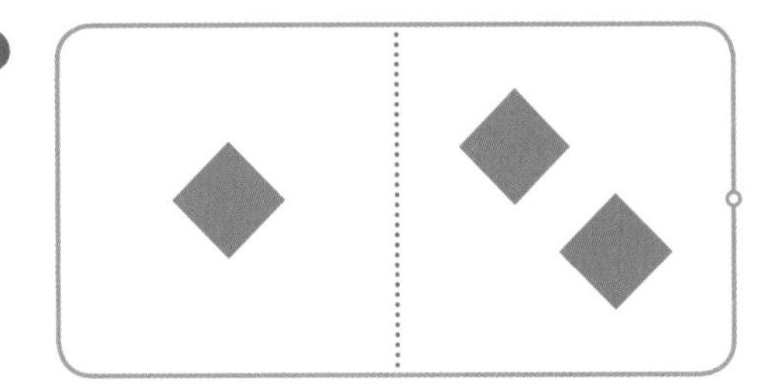

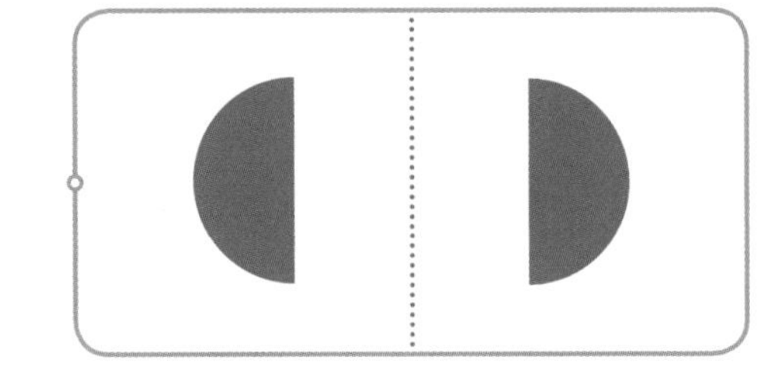

❸

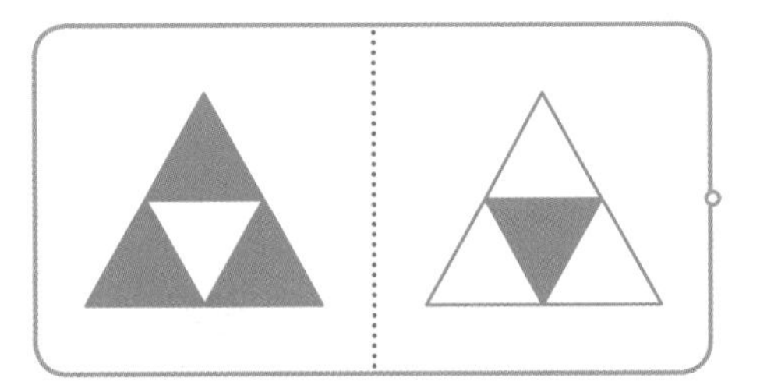

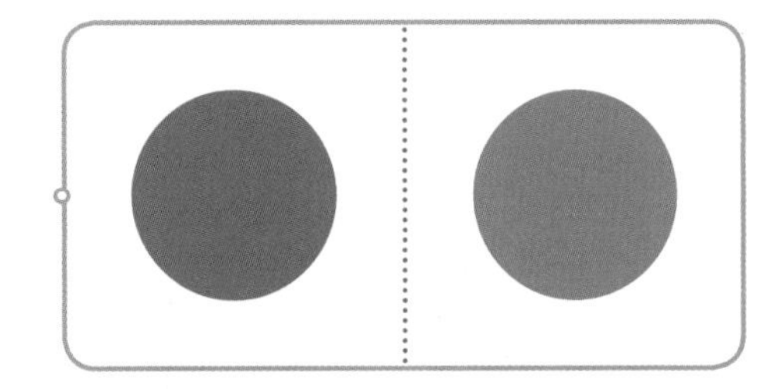

❹

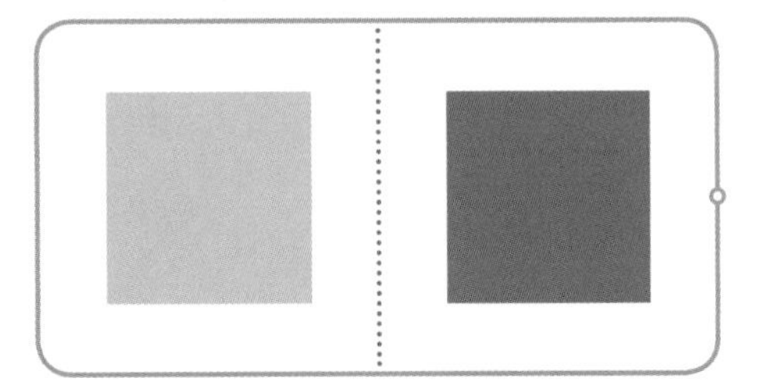

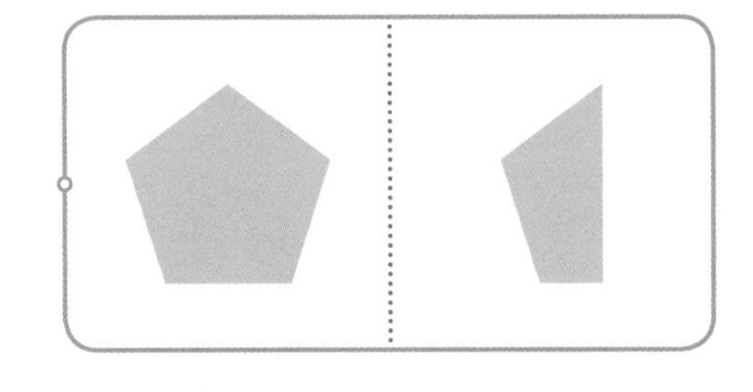

❺

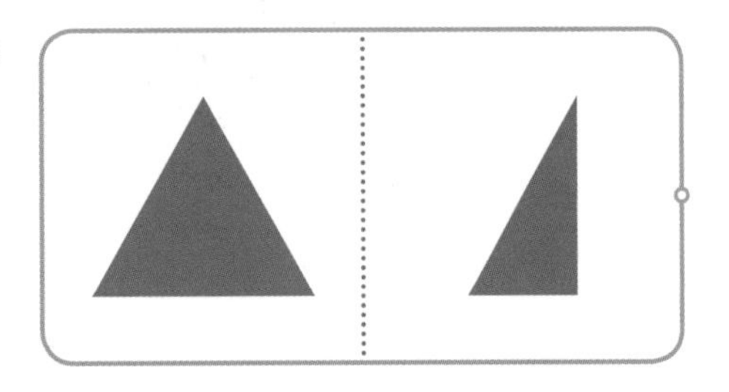

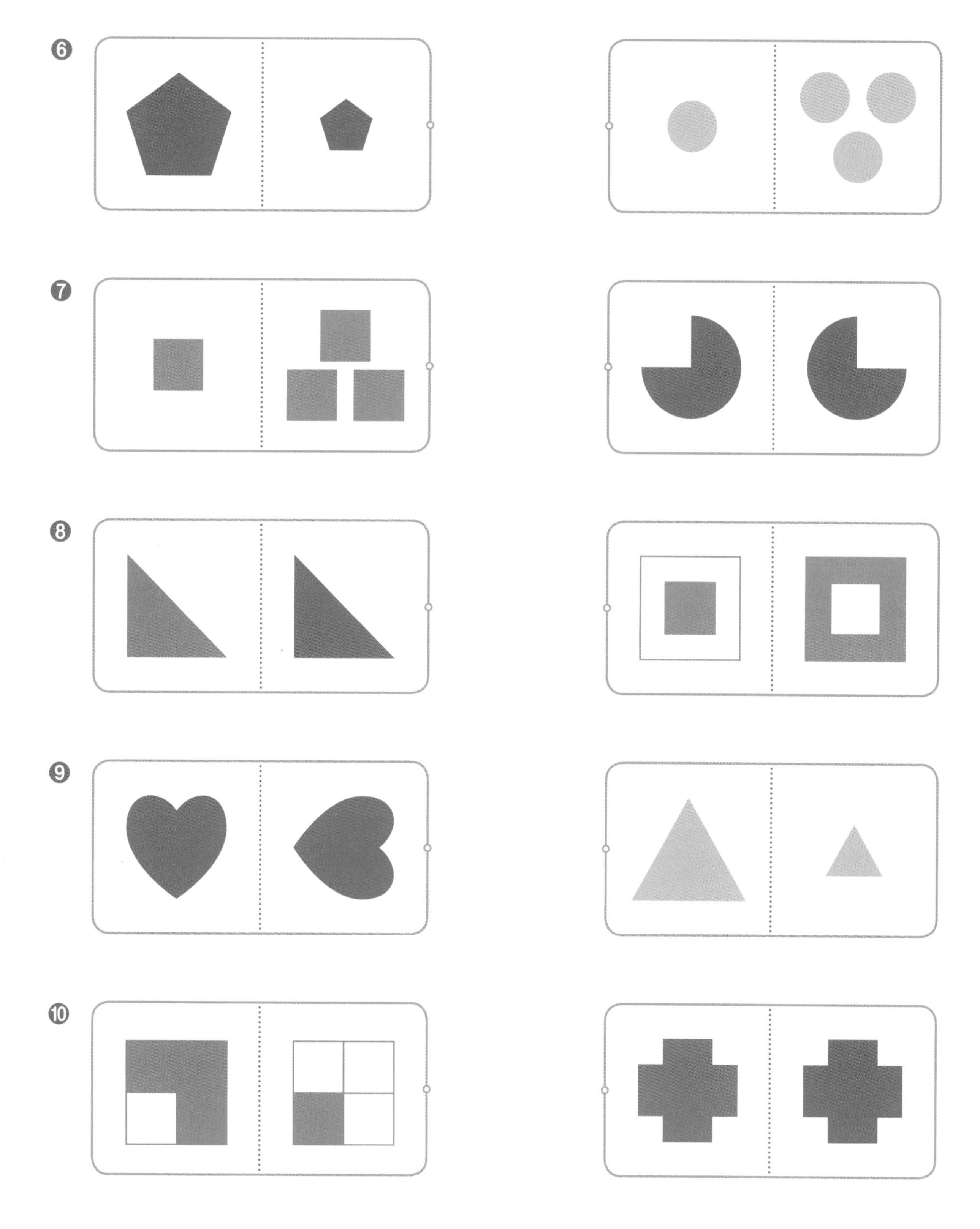
❻
❼
❽
❾
❿

관계가 같은 것 (2)

주어진 카드와 관계가 같은 카드를 찾아 기호를 쓰세요.

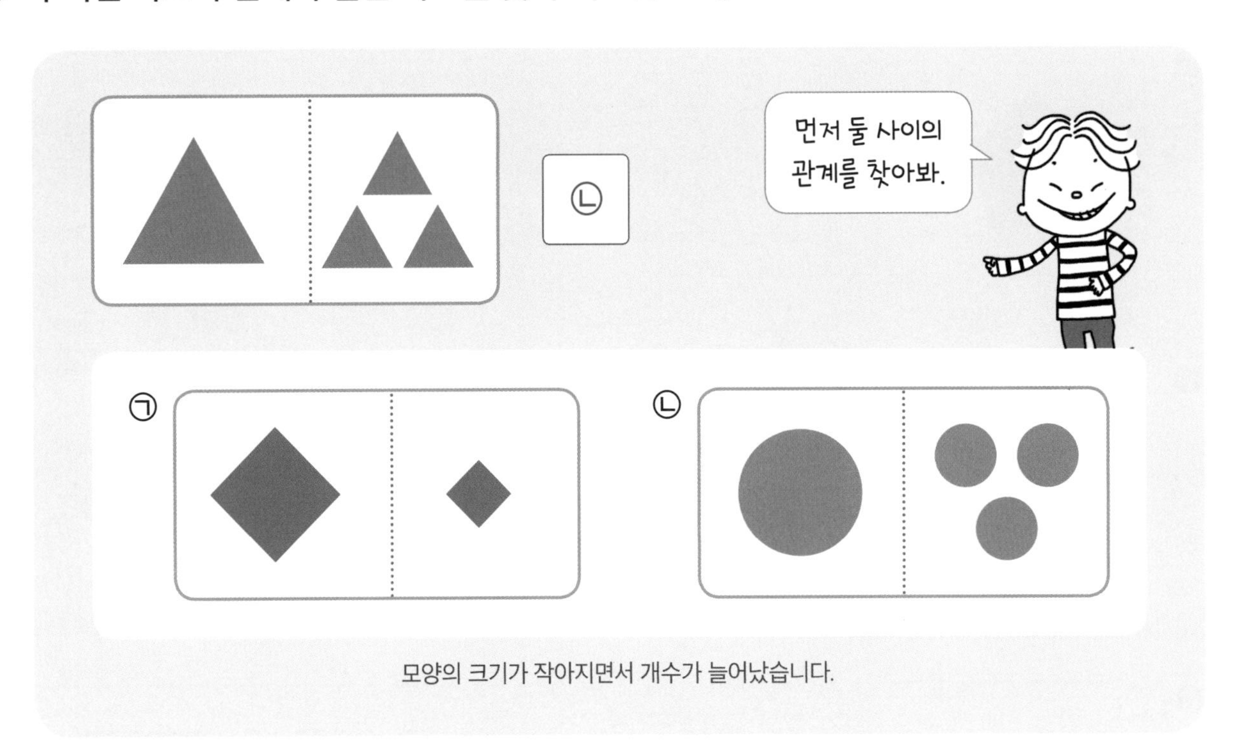

모양의 크기가 작아지면서 개수가 늘어났습니다.

❶

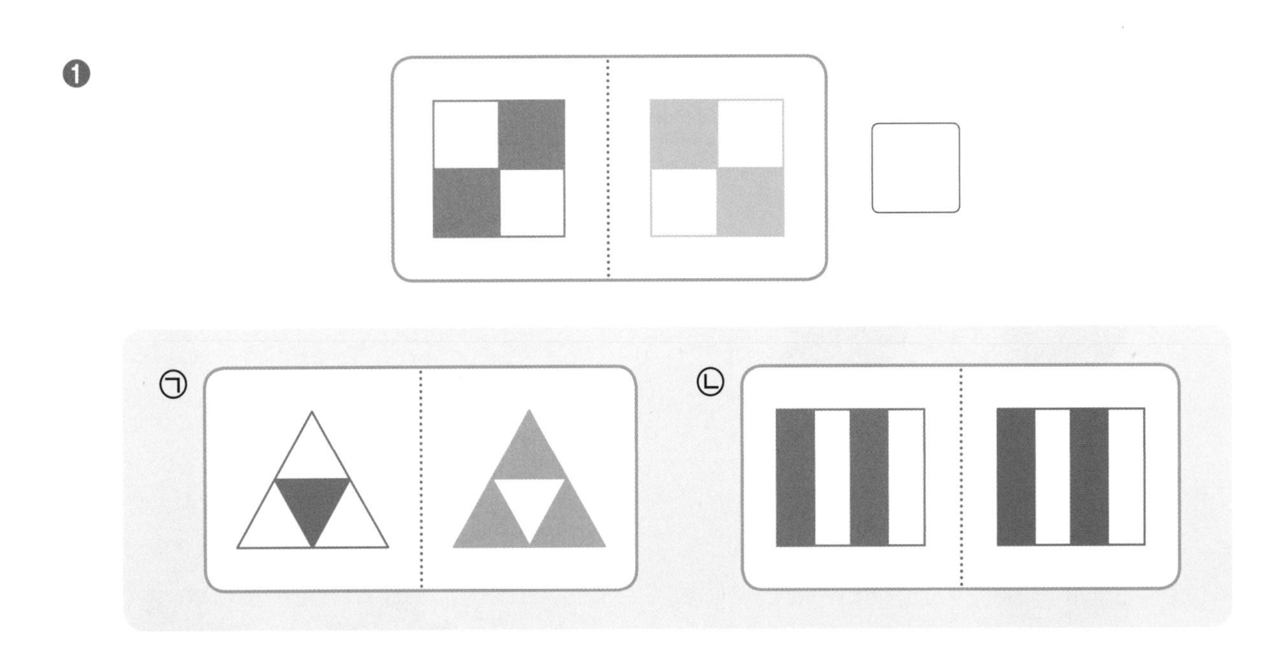

❷

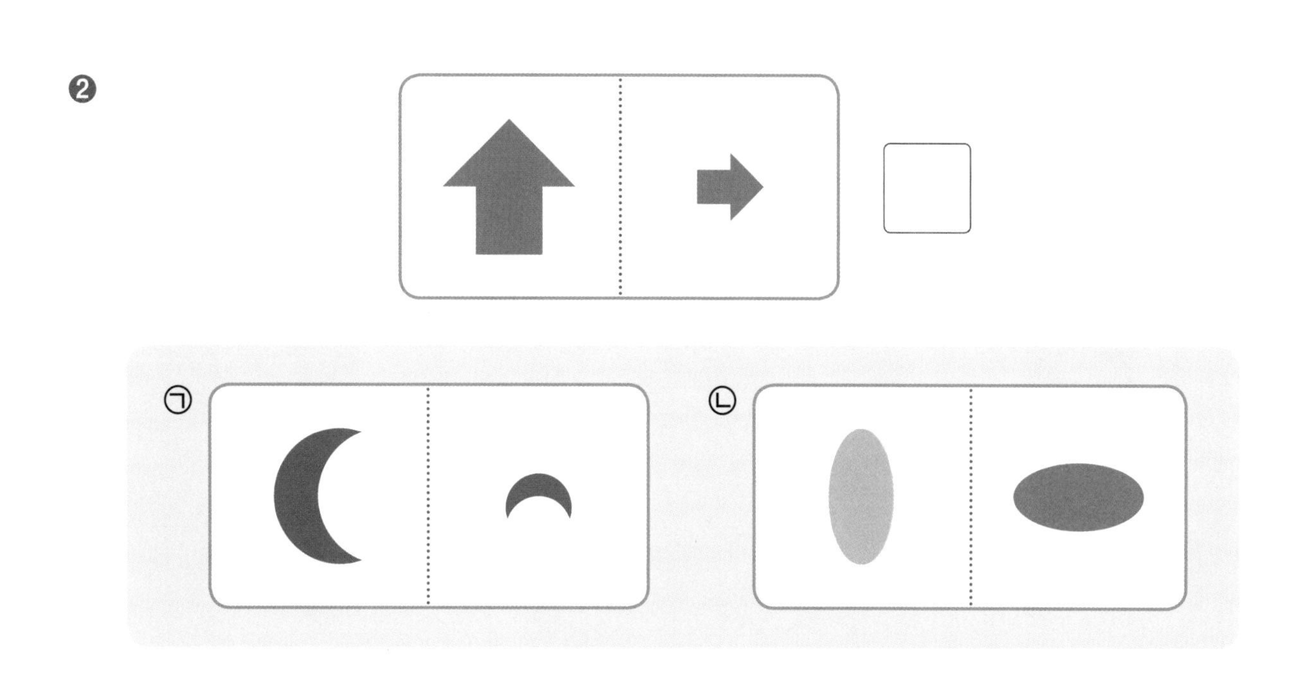

❸

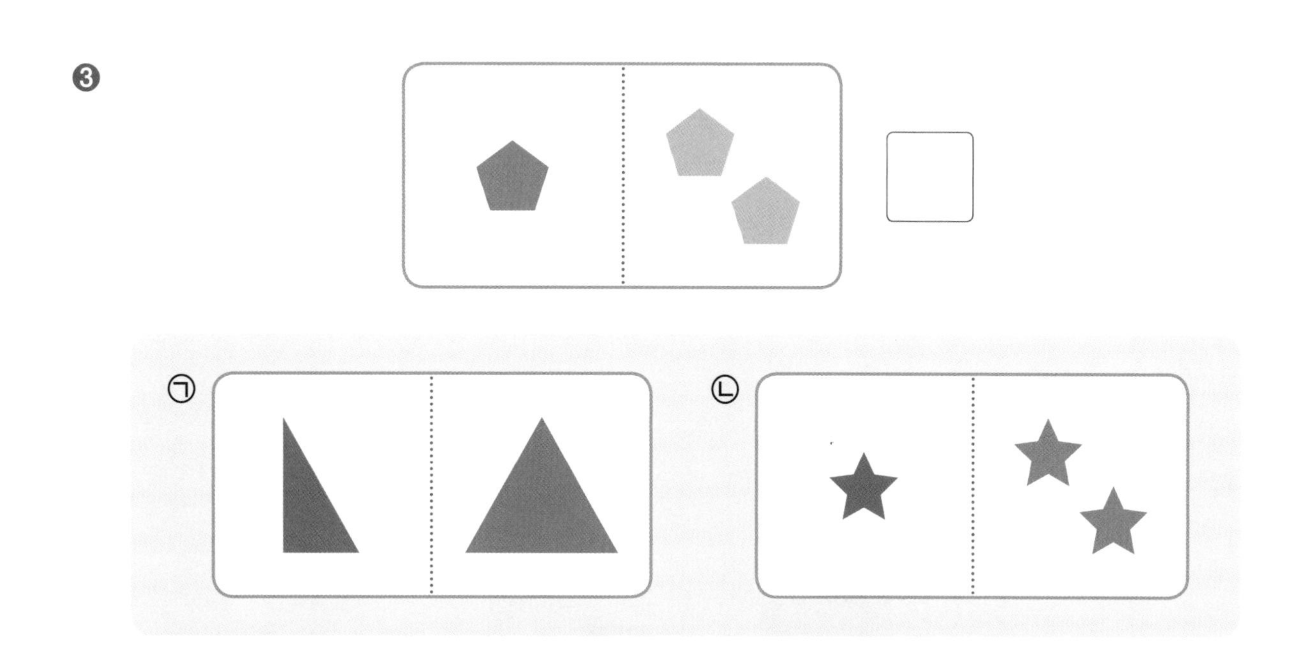

관계 매트릭스 (1)

왼쪽과 같은 관계가 되도록 오른쪽 빈 곳에 알맞은 기호를 쓰세요.

왼쪽 매트릭스에서 가로는 색이 반전되고, 세로는 바깥쪽 모양이 바뀌었습니다.
이 관계에 맞게 오른쪽 매트릭스에 똑같이 만들어 봅니다.

❶

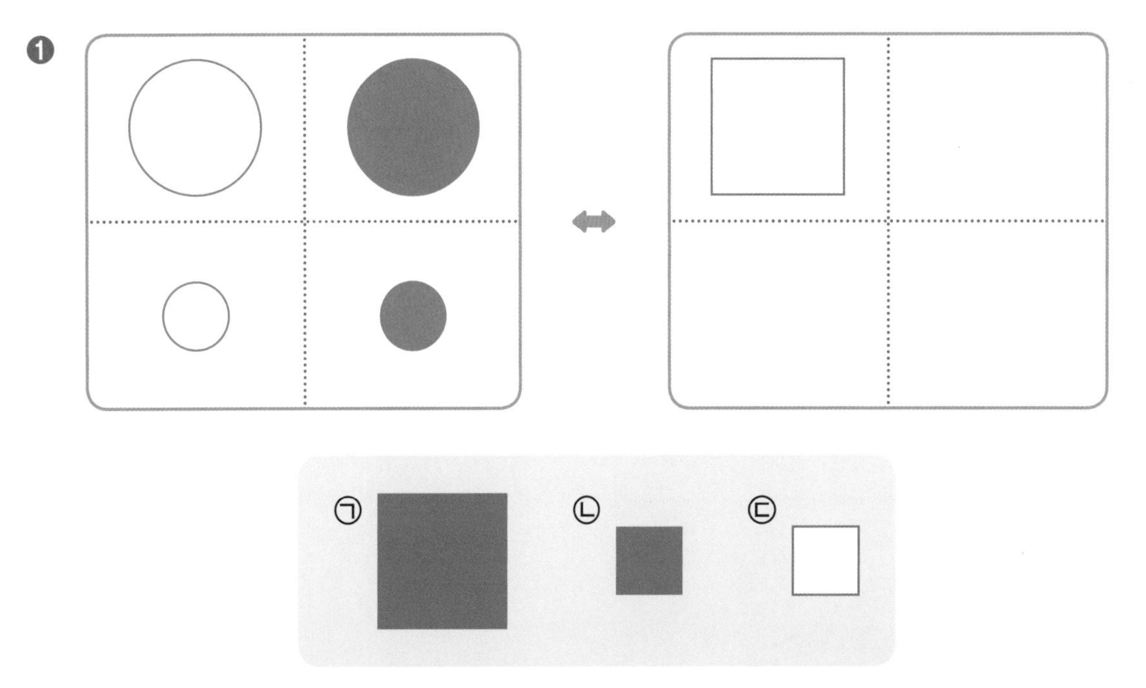

❷

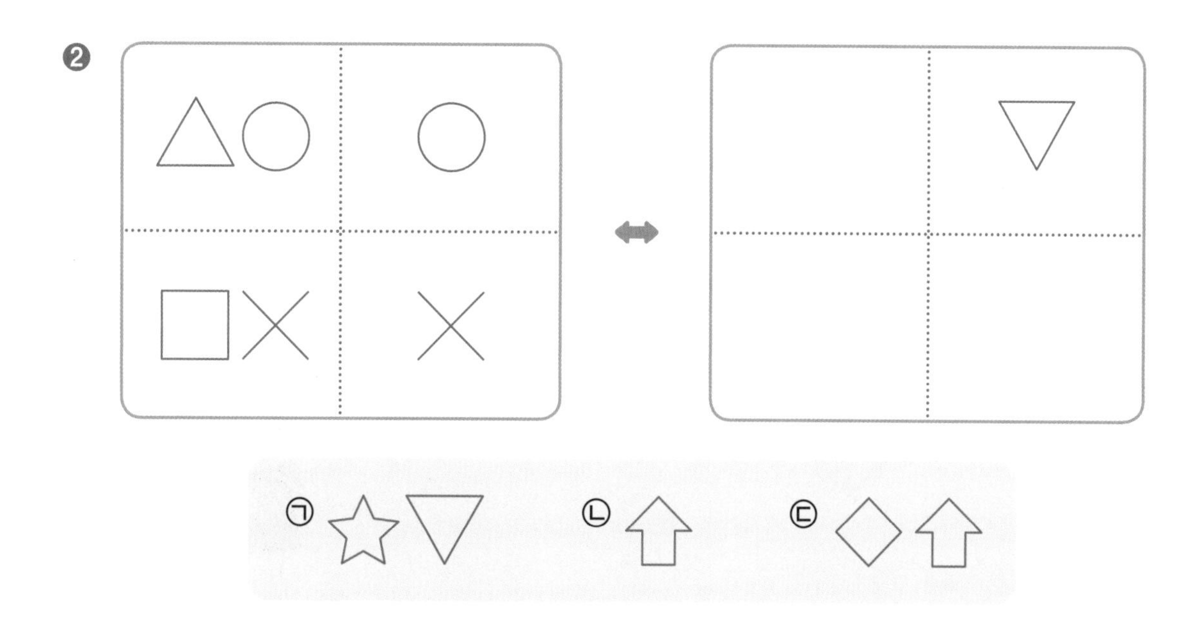

❸

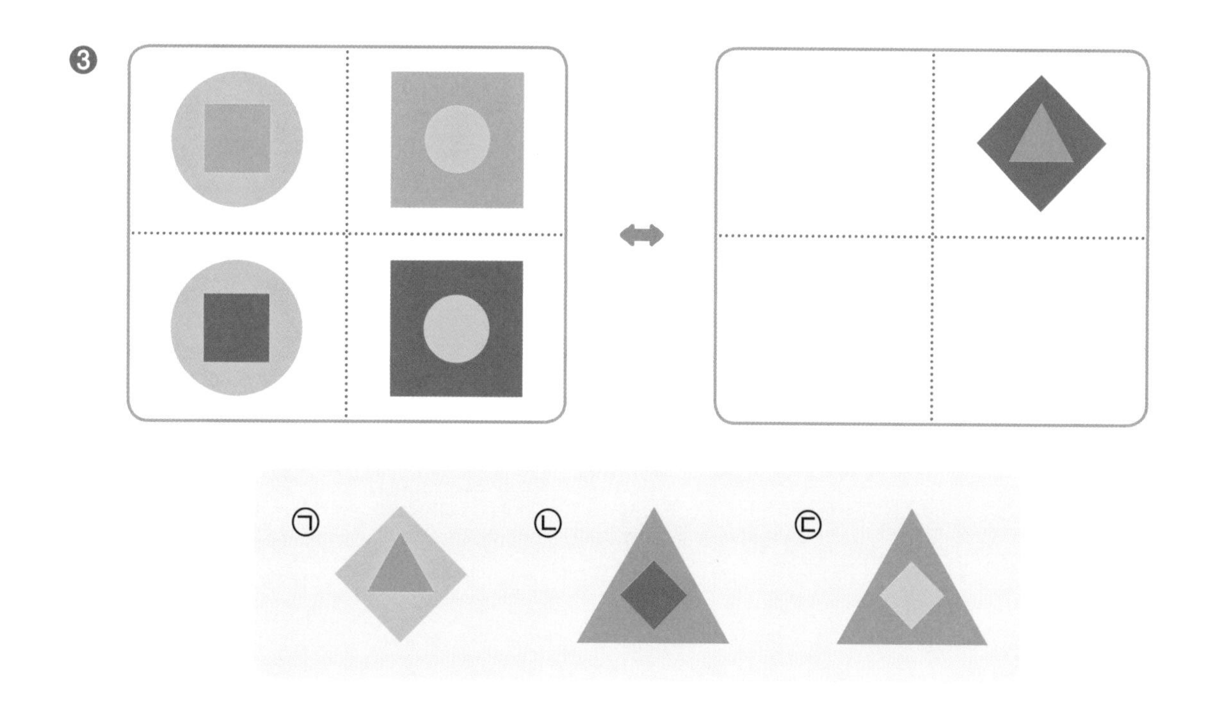

관계 매트릭스 (2)

✎ 관계를 찾아 빈 곳에 알맞은 모양을 그리거나 색칠해 보세요.

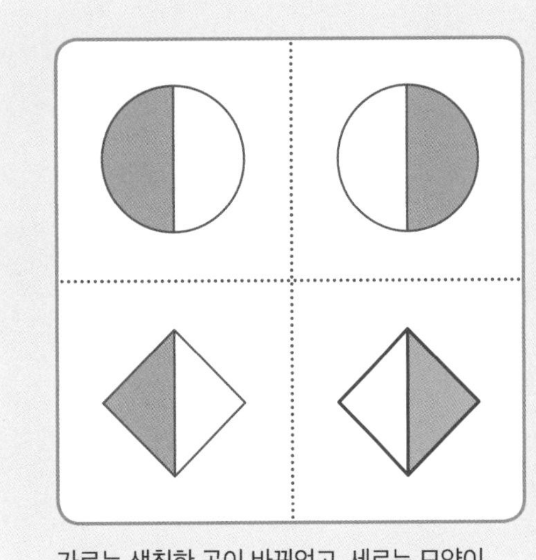

가로는 색칠한 곳이 바뀌었고, 세로는 모양이 바뀌었습니다.

❶

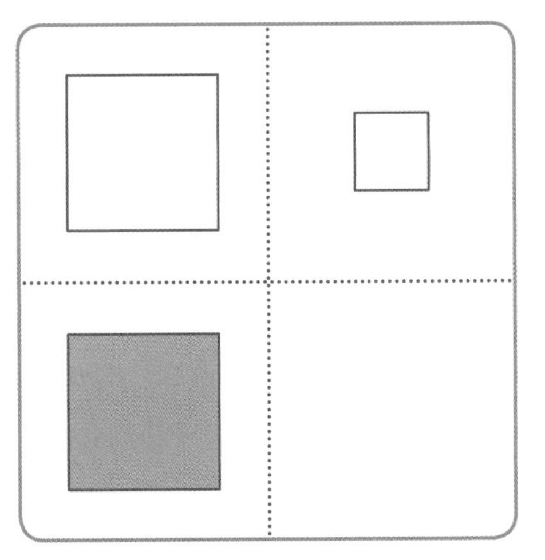

❷

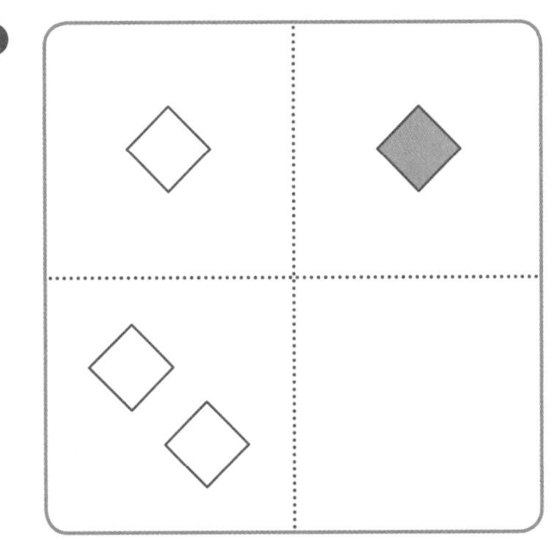

❸

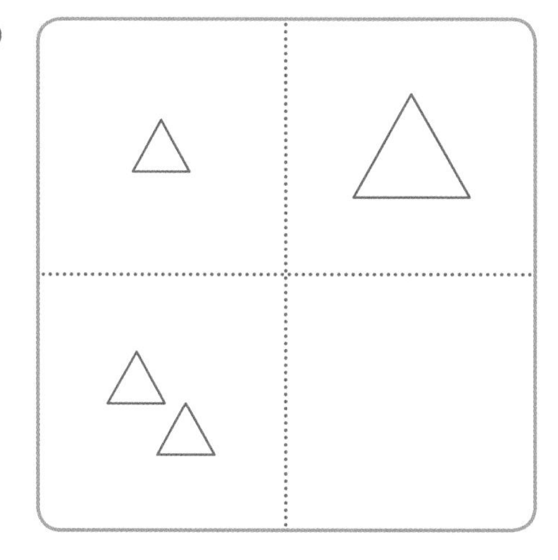

❹

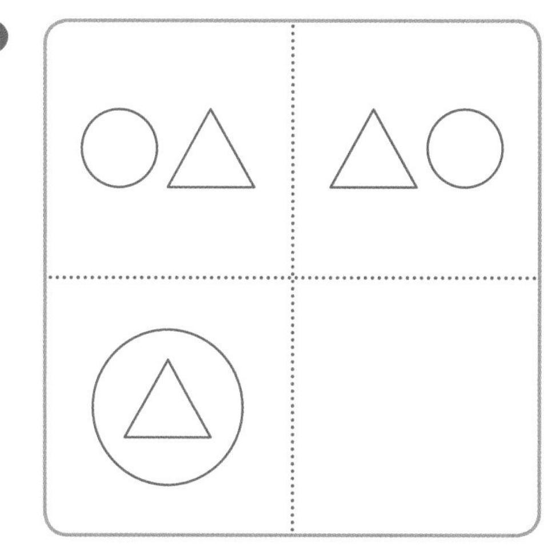

❺

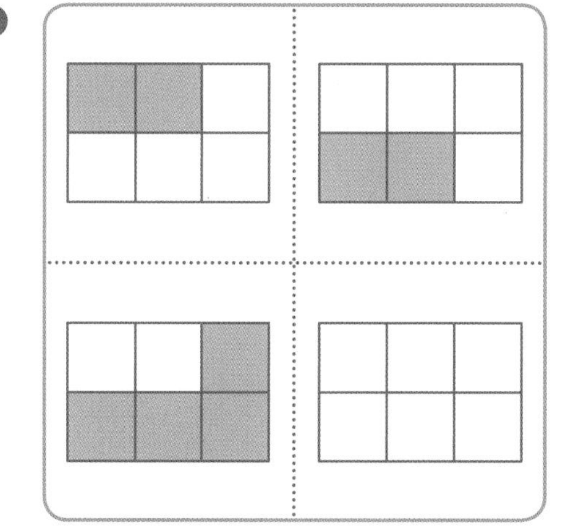

❻

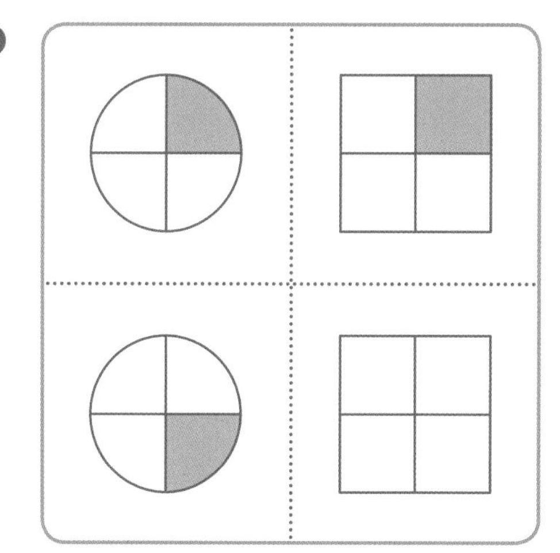

확인학습

관계가 같은 것끼리 선으로 이어 보세요.

❶

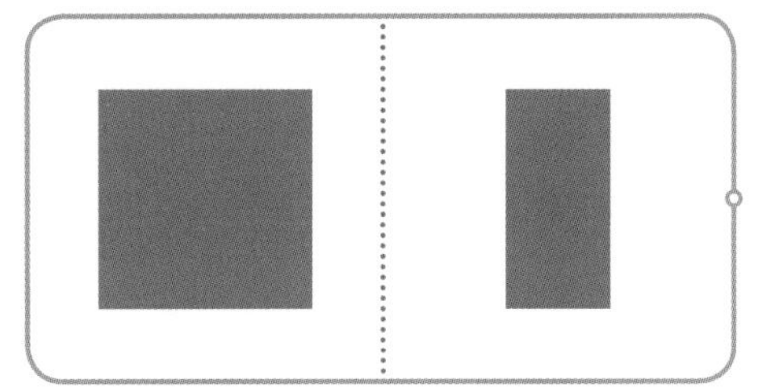

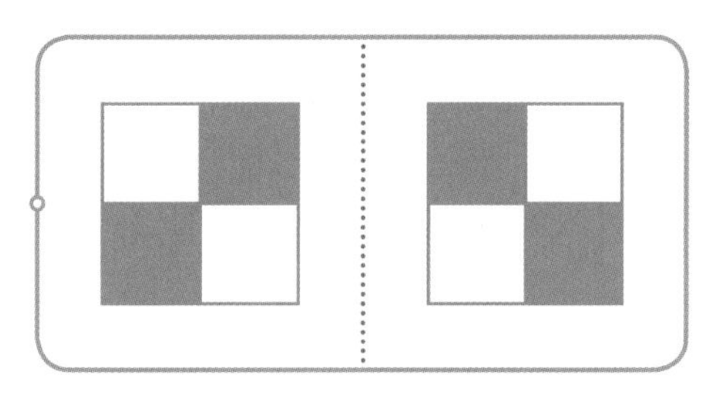

❷

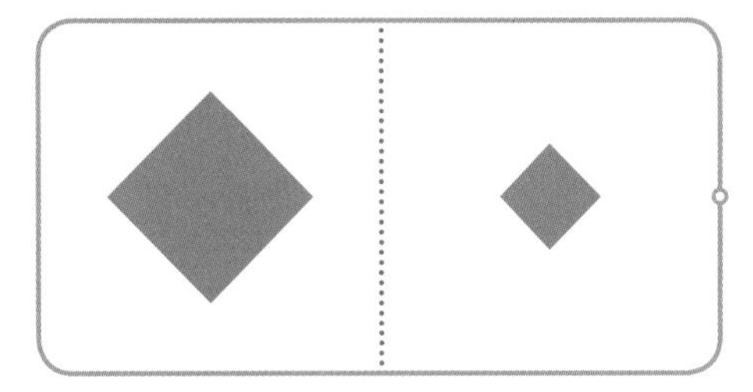

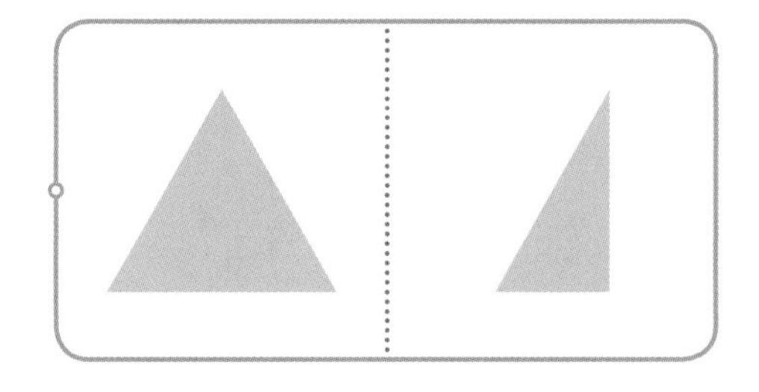

❸

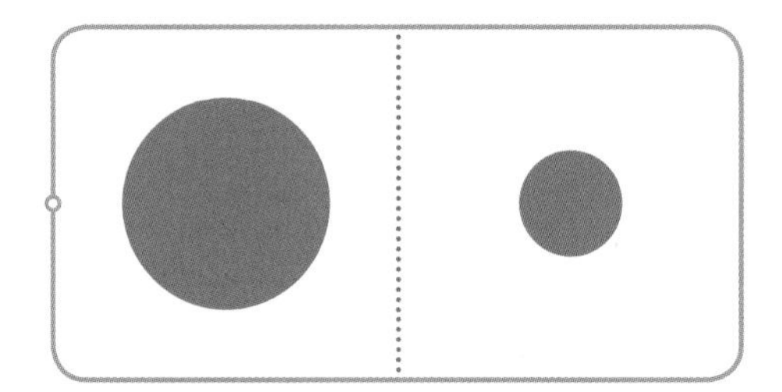

관계를 찾아 빈 곳에 알맞은 모양을 그리거나 색칠해 보세요.

❹

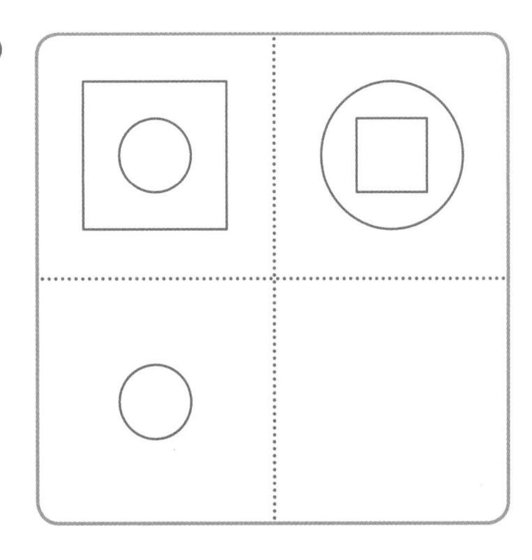

❺

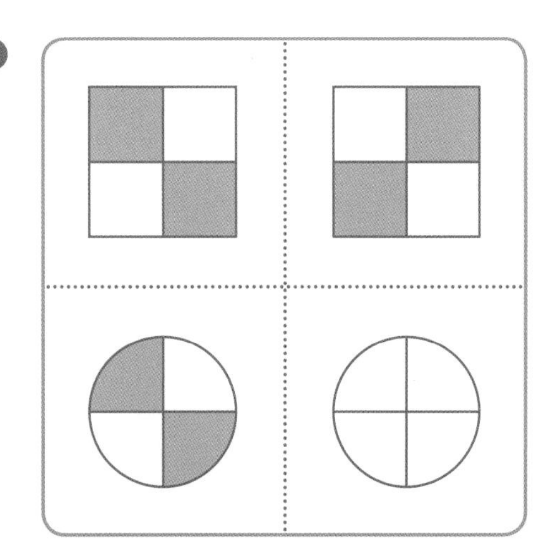

4
주차

화살표 약속

DAY 1 화살표 규칙 (1)

✎ 화살표 규칙에 따라 빈 곳에 알맞은 수를 써넣으세요.

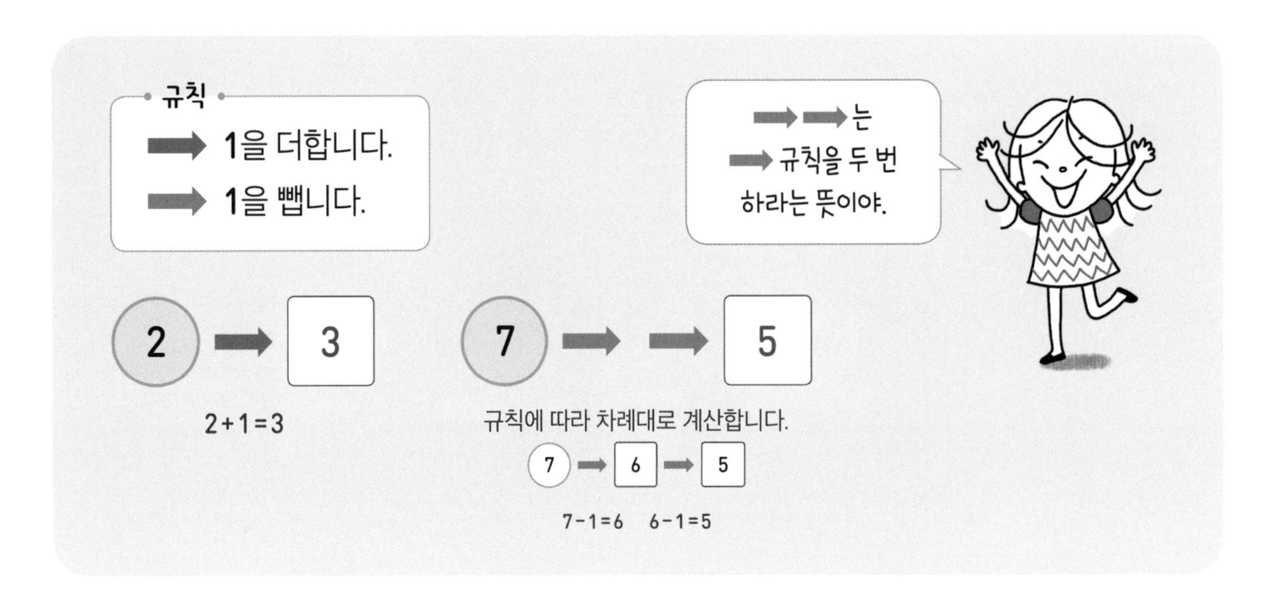

규칙
➡ 1을 더합니다.
➡ 1을 뺍니다.
➡➡는
➡ 규칙을 두 번
하라는 뜻이야.
2 ➡ 3
2+1=3
7 ➡ ➡ 5
규칙에 따라 차례대로 계산합니다.
7 ➡ 6 ➡ 5
7-1=6 6-1=5

❶

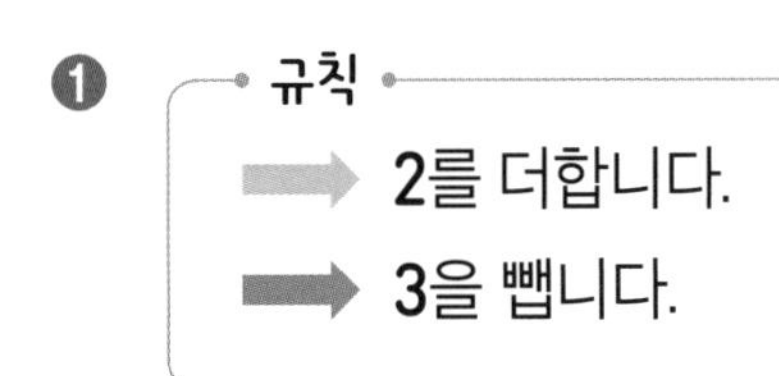

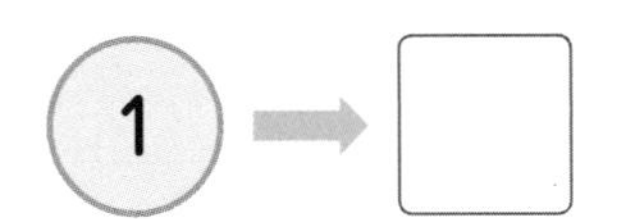

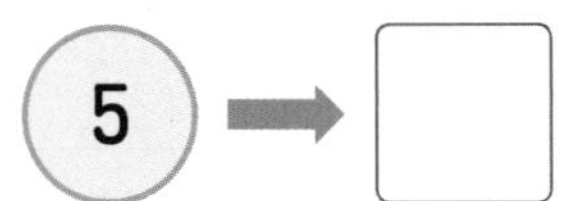

3 ➡ ➡ □

❷

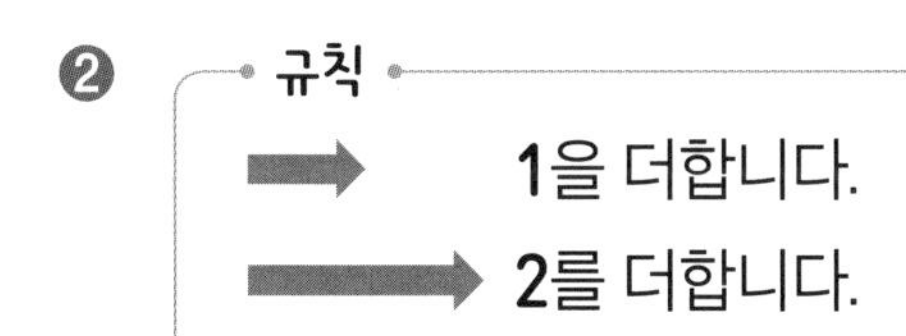

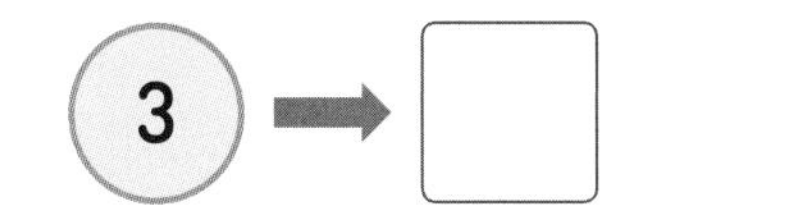

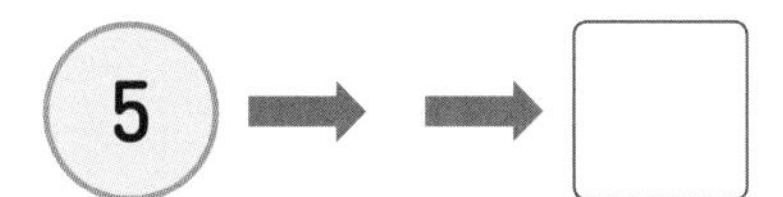

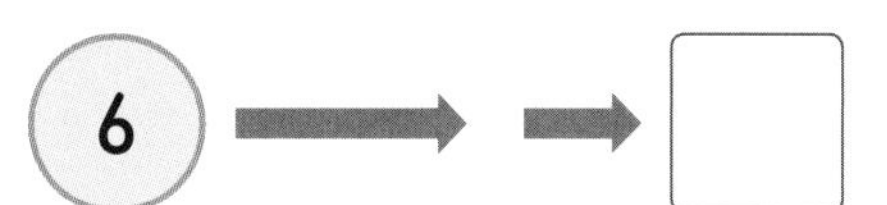

❸

규칙

4를 더합니다.

2를 뺍니다.

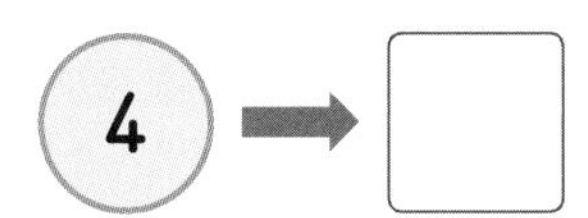

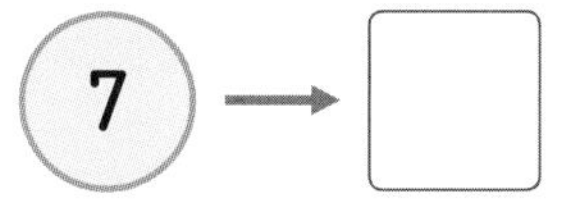

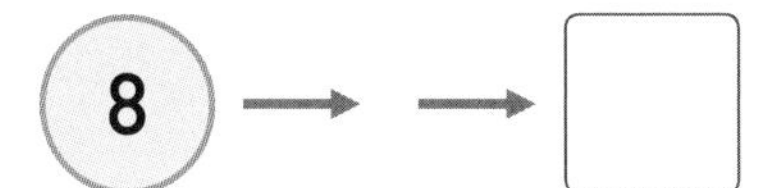

5

DAY 2

화살표 규칙 찾기 (1)

화살표 규칙을 찾아 빈 곳에 알맞은 수를 써넣으세요.

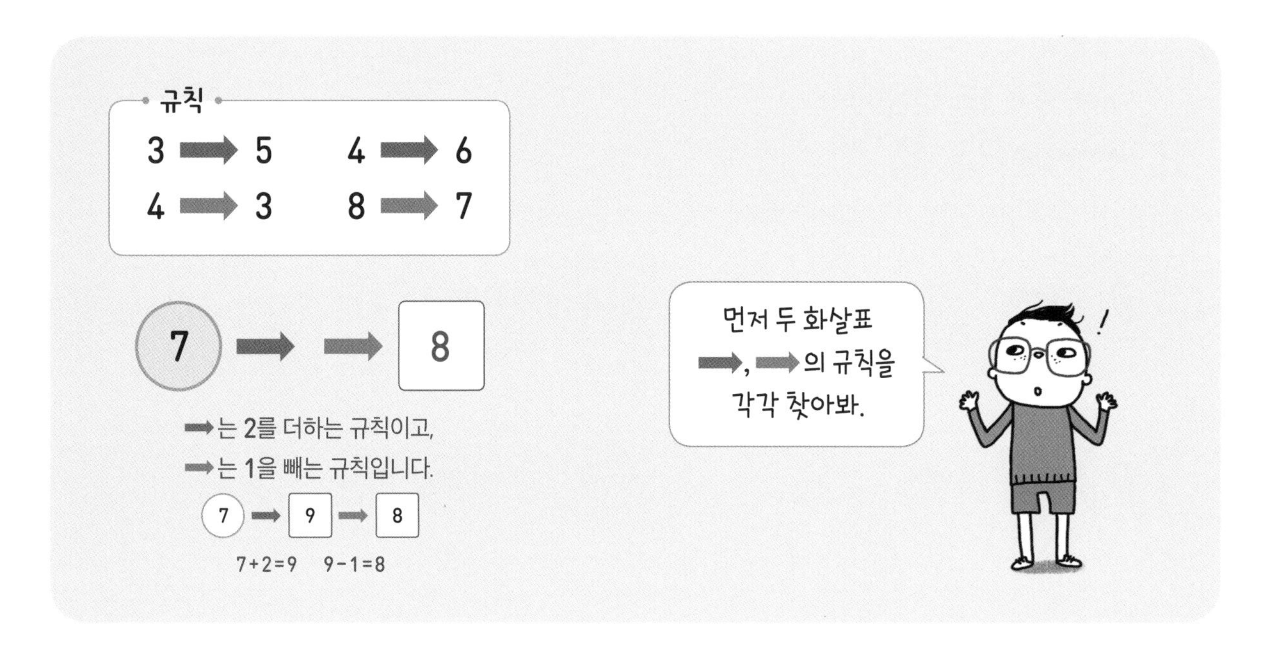

규칙
3 ➡ 5 4 ➡ 6
4 ➡ 3 8 ➡ 7
7 ➡ ➡ 8
➡는 2를 더하는 규칙이고,
➡는 1을 빼는 규칙입니다.
7 ➡ 9 ➡ 8
7+2=9 9-1=8
먼저 두 화살표
➡, ➡의 규칙을
각각 찾아봐.
!

❶ 규칙

1 ➡ 2 5 ➡ 6

3 ➡ ➡ □

❷ 규칙

4 ➡ 1 6 ➡ 3

8 ➡ ➡ □

❸ 규칙

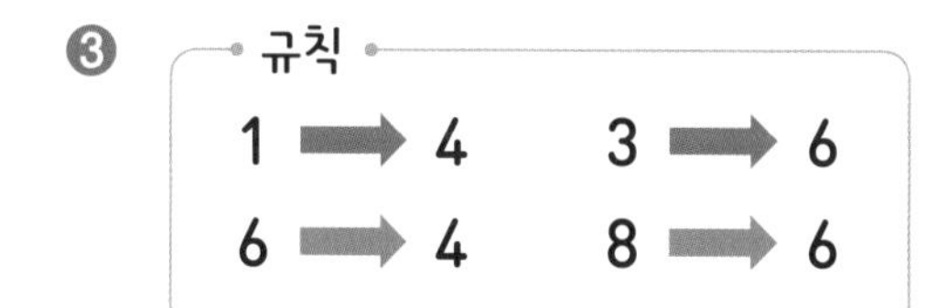

2 ➡ ➡ □

7 ➡ ➡ □

❹ 규칙

2 ➡ 6 4 ➡ 8
7 ➡ 3 8 ➡ 4

3 ➡ ➡ □

5 ➡ ➡ □

❺ 규칙

3 ★→ 5 5 ★→ 7
4 ▲→ 1 6 ▲→ 3

6 ★→ ▲→ □

7 ▲→ ▲→ ★→ □

❻ 규칙

2 ●→ 3 3 ●→ 4
4 ○→ 2 5 ○→ 3

8 ○→ ○→ □

1 ●→ ○→ ●→ □

화살표 규칙 (2)

화살표 규칙에 따라 빈 곳에 알맞은 그림을 그리거나 색칠해 보세요.

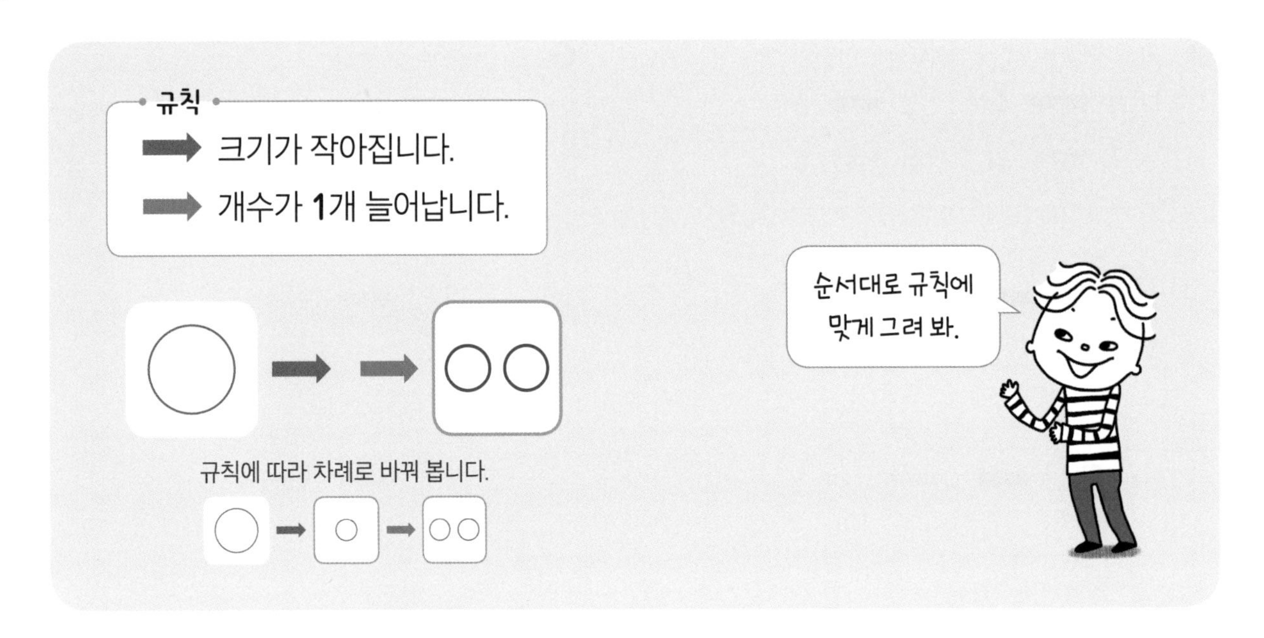

규칙
크기가 작아집니다.
개수가 1개 늘어납니다.
순서대로 규칙에 맞게 그려 봐.
규칙에 따라 차례로 바꿔 봅니다.

❶

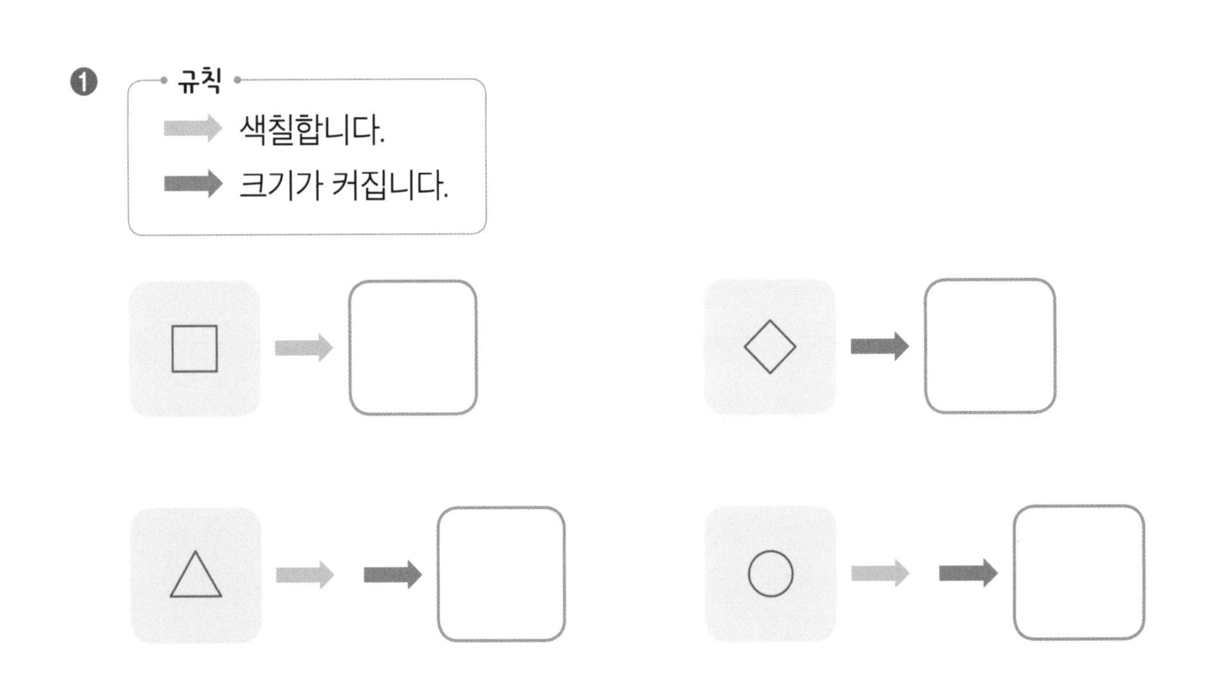

규칙
색칠합니다.
크기가 커집니다.

❷

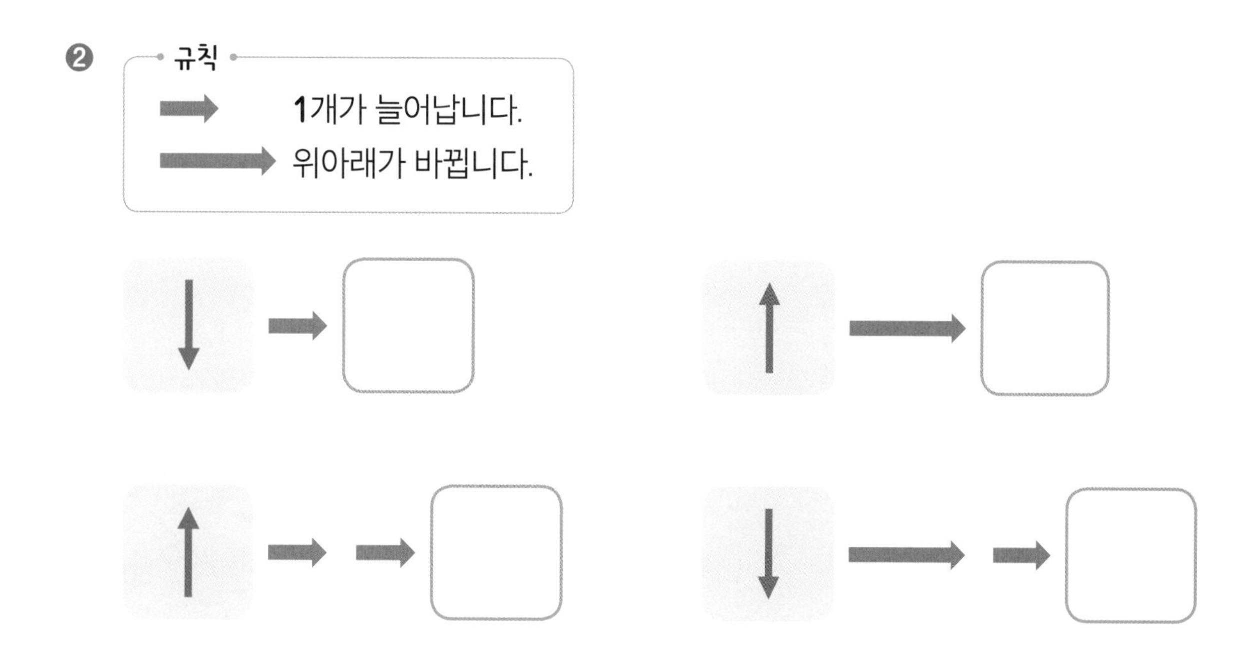
규칙
1개가 늘어납니다.
위아래가 바뀝니다.

❸

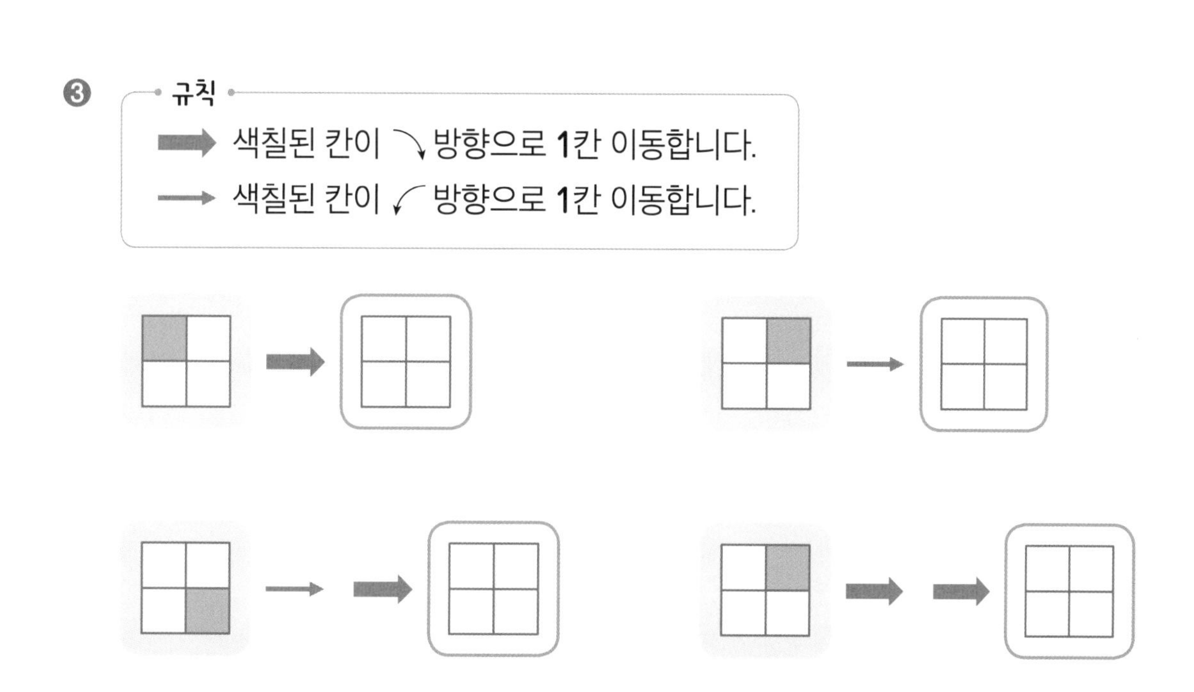
규칙
색칠된 칸이 ↘ 방향으로 1칸 이동합니다.
색칠된 칸이 ↙ 방향으로 1칸 이동합니다.

화살표 규칙 찾기 (2)

✎ 화살표 규칙을 찾아 빈 곳에 알맞은 그림을 그리거나 색칠해 보세요.

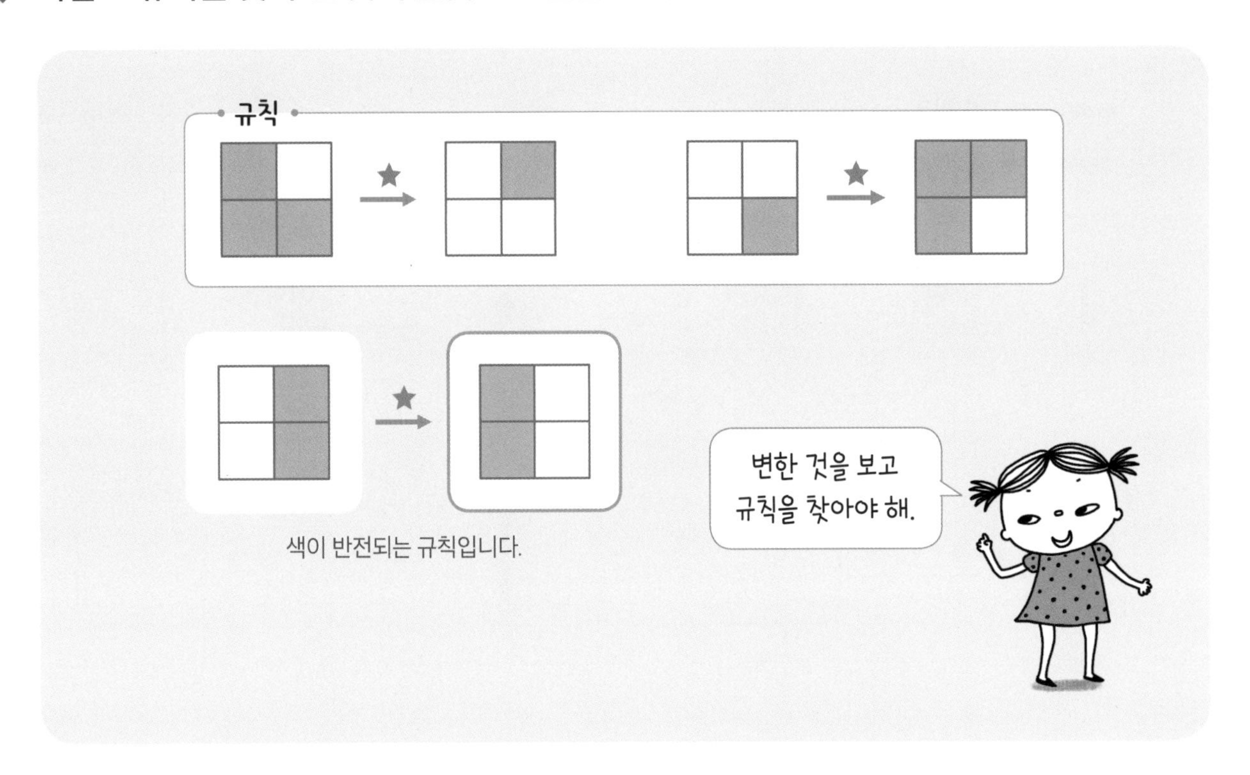

규칙
색이 반전되는 규칙입니다.
변한 것을 보고
규칙을 찾아야 해.

❶

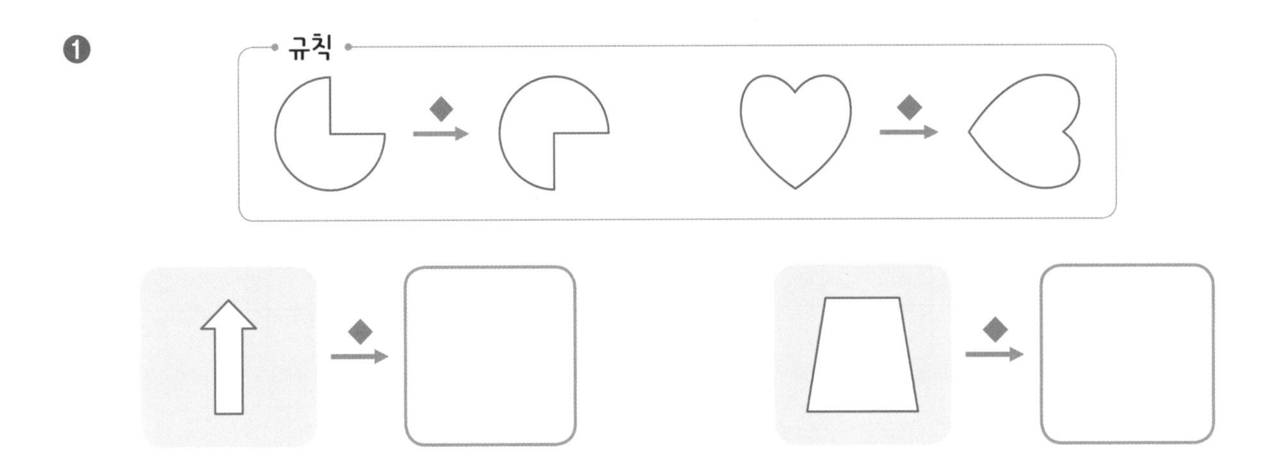

❷

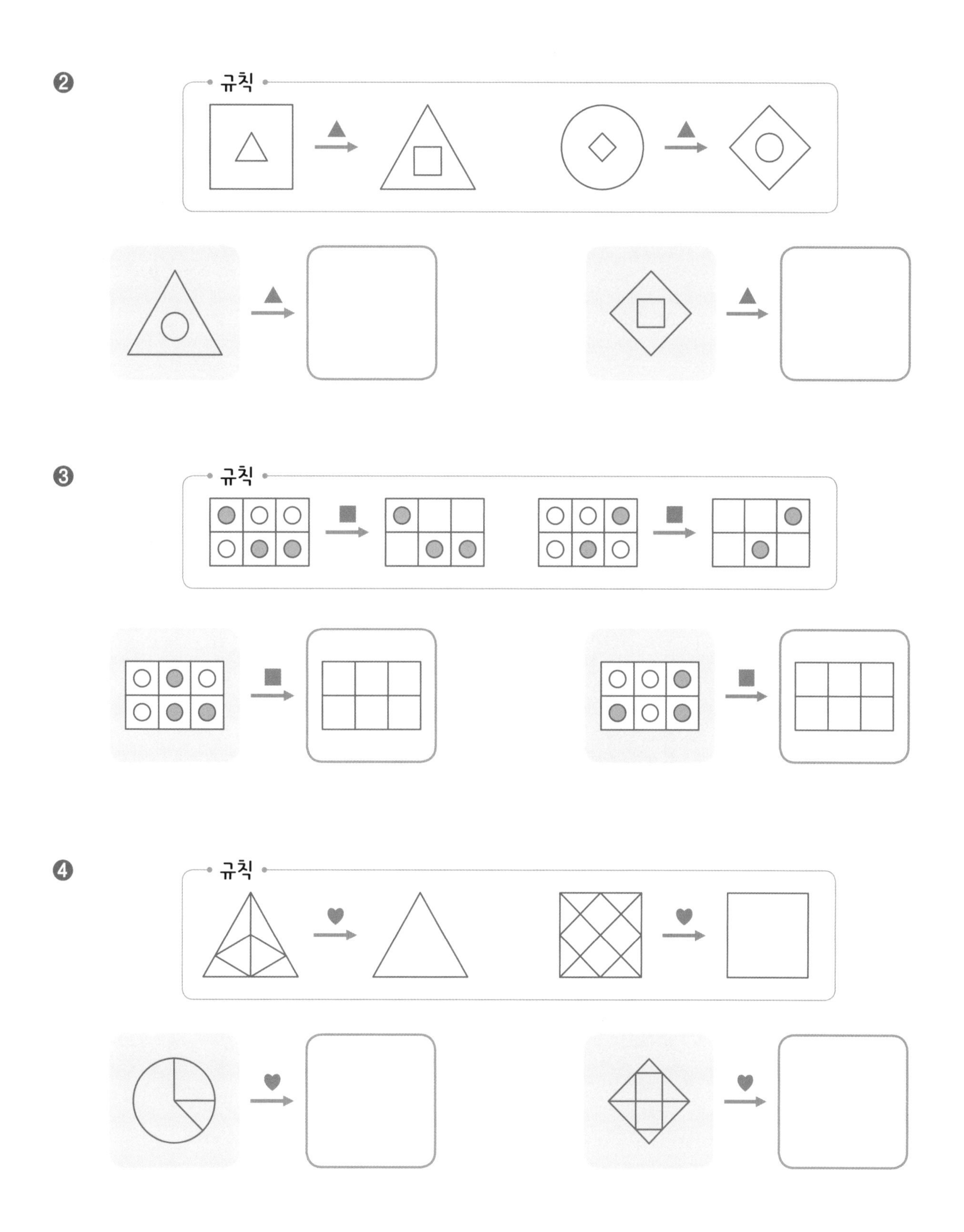

❸

❹

모양 합치기

✎ 모양이 합쳐지는 규칙을 찾아 알맞게 색칠해 보세요.

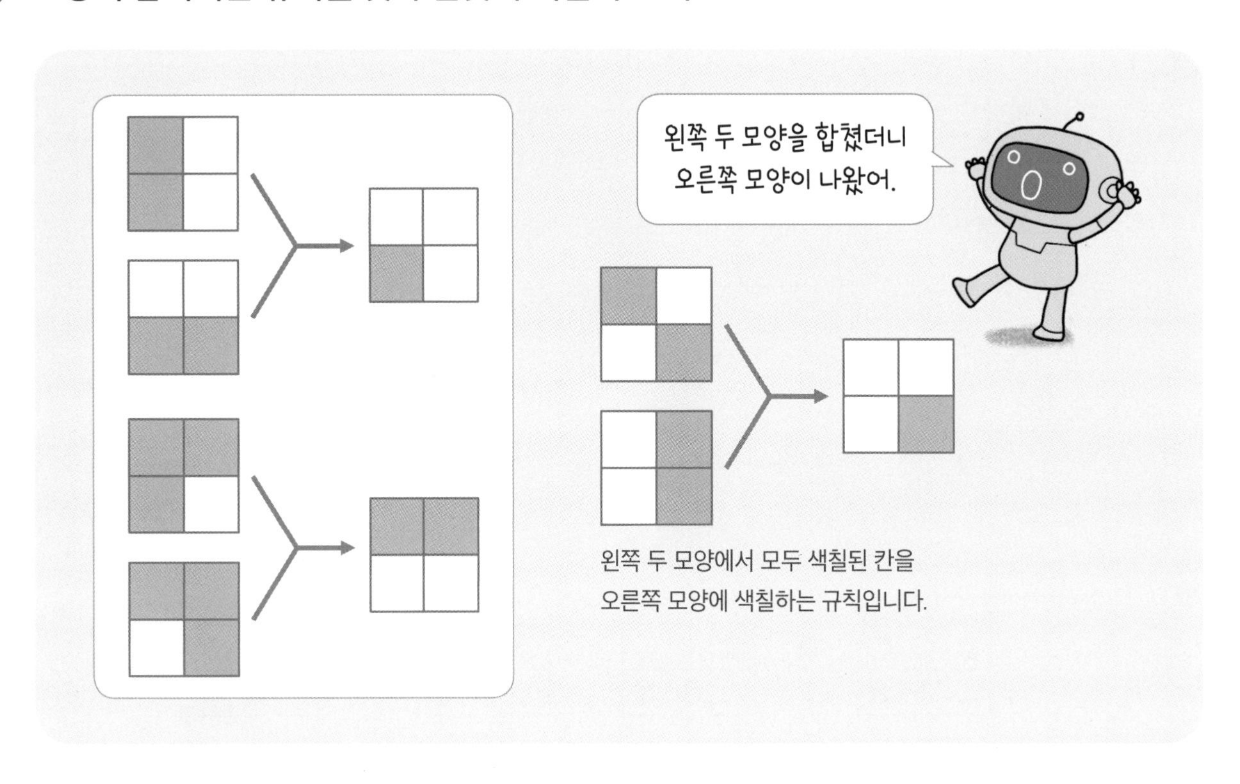
왼쪽 두 모양을 합쳤더니
오른쪽 모양이 나왔어.
왼쪽 두 모양에서 모두 색칠된 칸을
오른쪽 모양에 색칠하는 규칙입니다.

❶

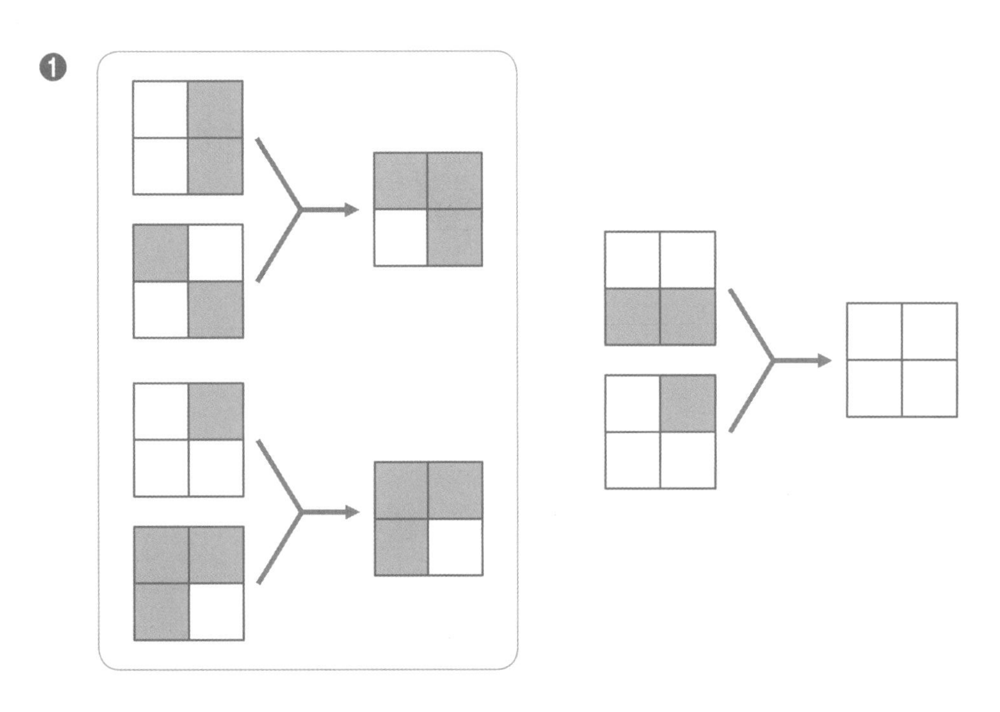

❷

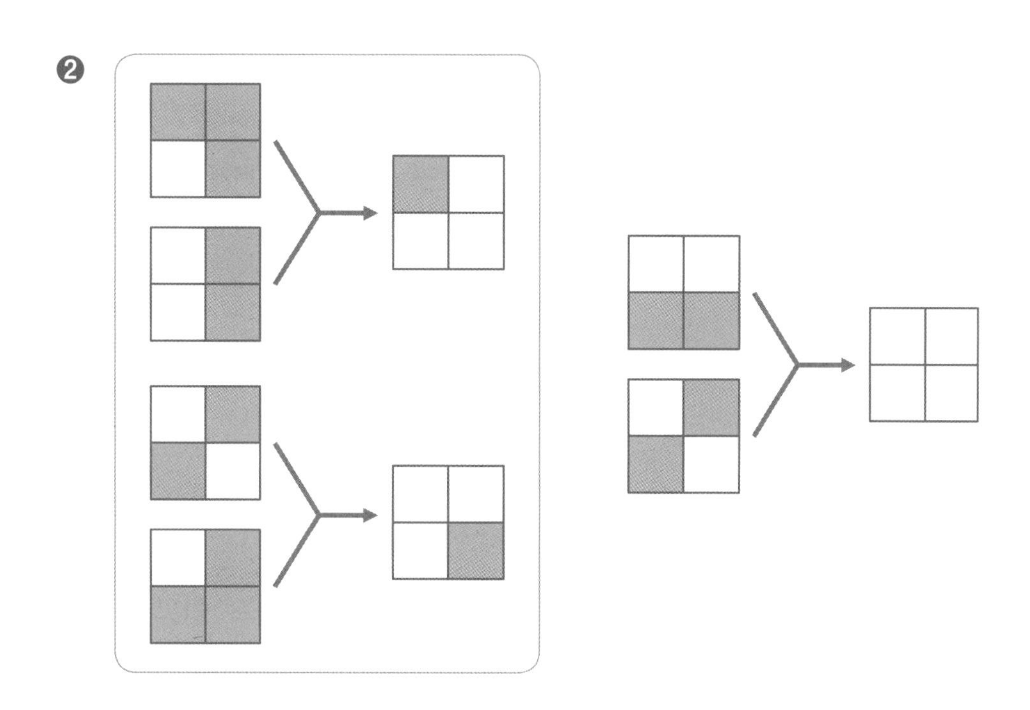

❸

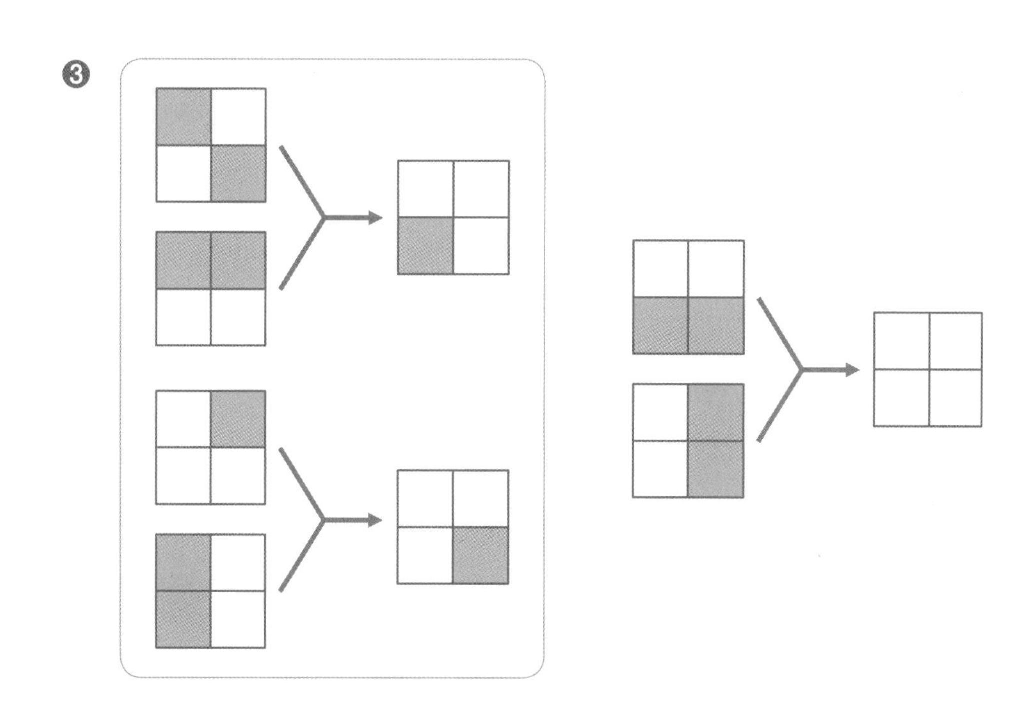

확인학습

화살표 규칙을 찾아 빈 곳에 알맞은 수를 써넣으세요.

❶

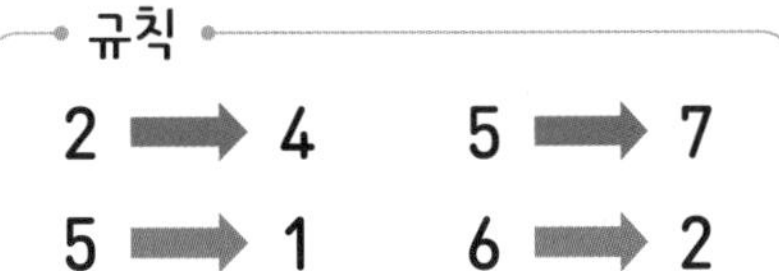

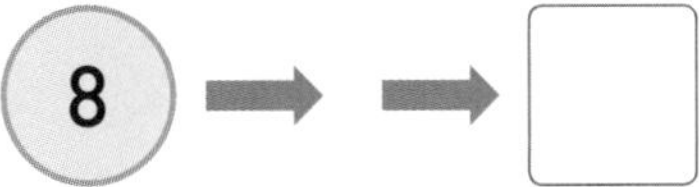

❷

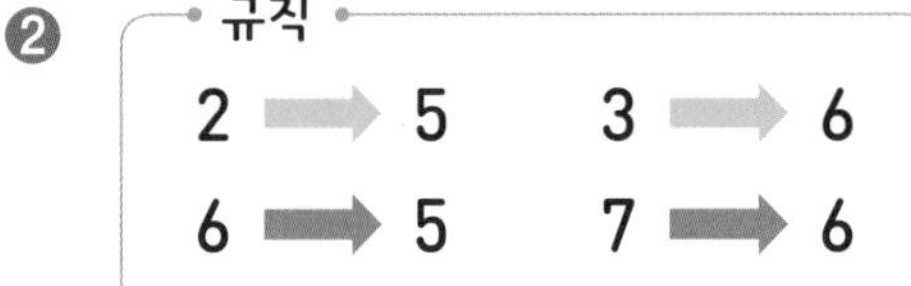

모양이 합쳐지는 규칙을 찾아 알맞게 색칠해 보세요.

❸

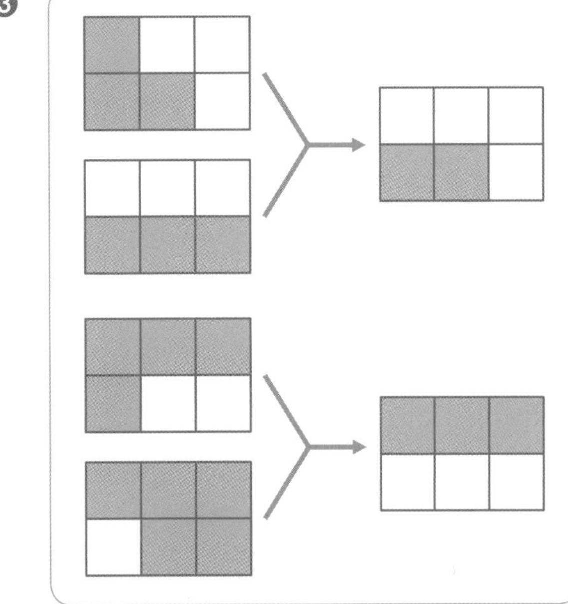

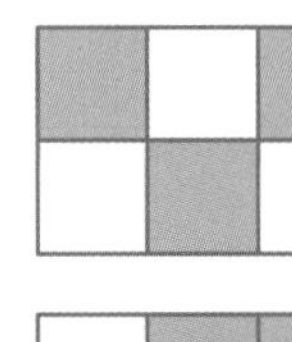

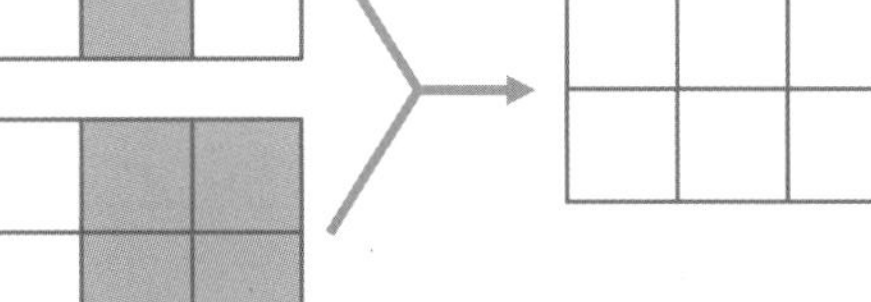

마무리 평가

마무리 평가는 앞에서 공부한 4주차의 유형이 다음과 같은 순서로 나와요.
틀린 문제는 몇 주차인지 확인하여 반드시 다시 한 번 학습하도록 해요.

1주차	3주차
2주차	4주차

마무리 평가

설명하는 것을 찾아 ◯표 하세요.

❶

1. 먹을 수 있습니다.
2. ◯ 모양입니다.
3. 빨간색입니다.

우즐카드 6장을 일정한 기준에 따라 분류한 것입니다. 빈 곳에 분류한 기준을 써넣으세요.

❷

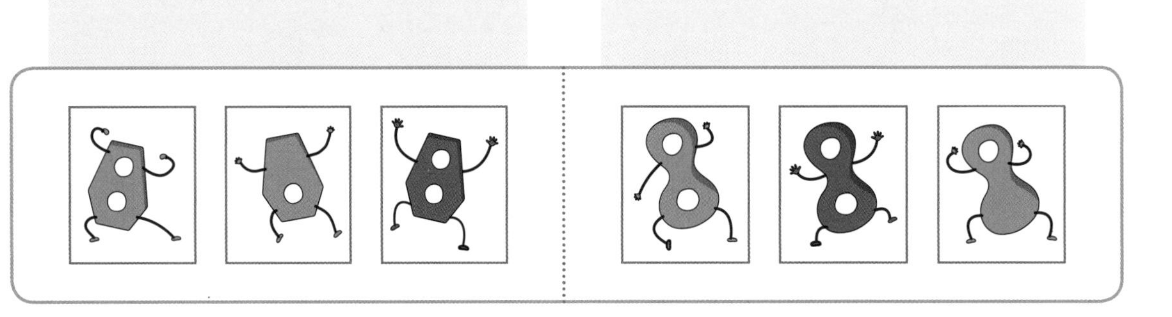

❸

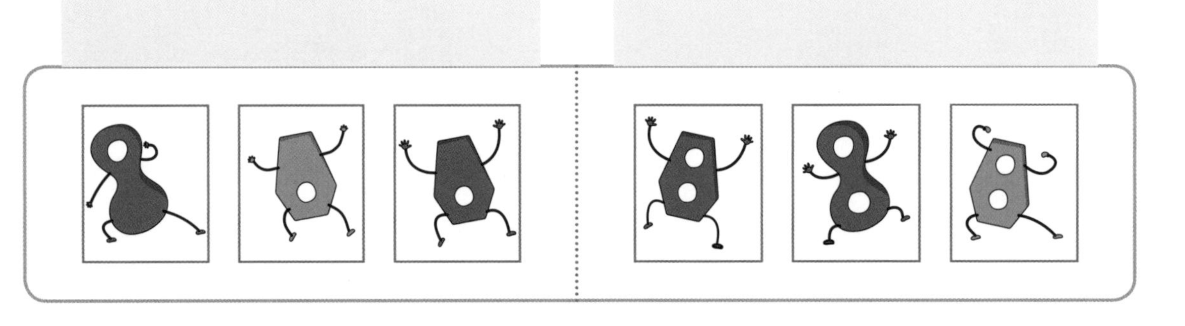

주어진 카드와 관계가 같은 카드를 찾아 기호를 쓰세요.

❹

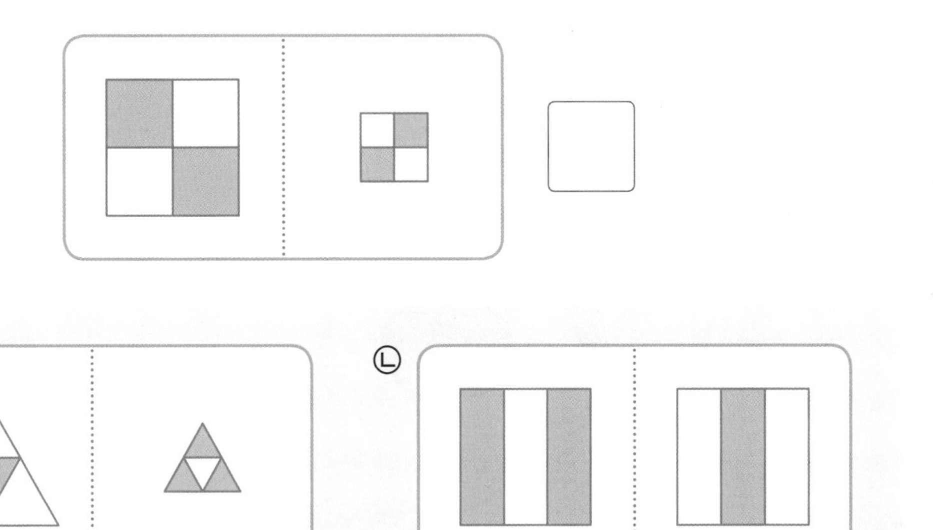

화살표 규칙에 따라 빈 곳에 알맞은 수를 써넣으세요.

❺

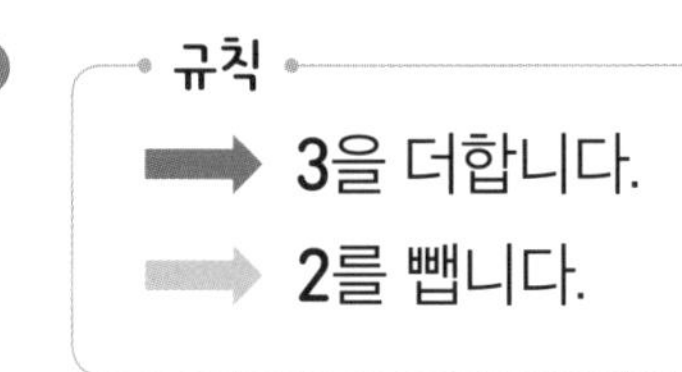

2 ➡ □

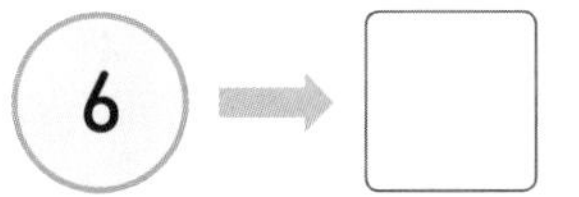

3 ➡ ➡ □

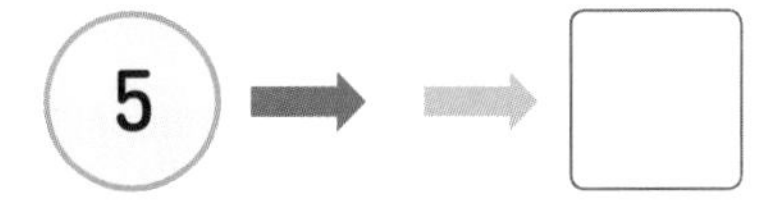

TEST 2 마무리 평가

공통점을 찾아 선으로 이어 보세요.

❶

채소입니다.

❷
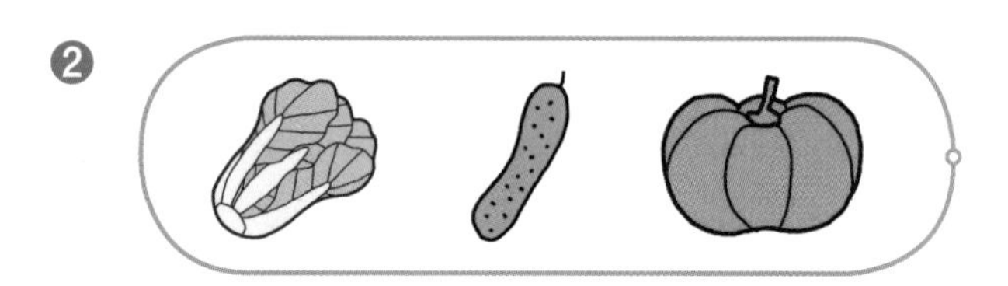

전기가 필요한 물건입니다.

❸

쓰거나 그릴 수 있는 물건입니다.

우즐카드를 공통점을 찾아 모은 것입니다. 잘못 들어간 것에 ×표 하세요.

❹
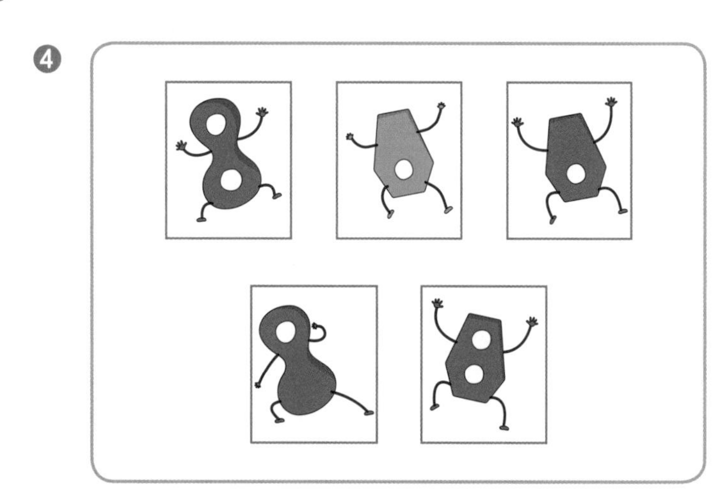

✤ 왼쪽과 같은 관계가 되도록 오른쪽 빈 곳에 알맞은 기호를 쓰세요.

❺

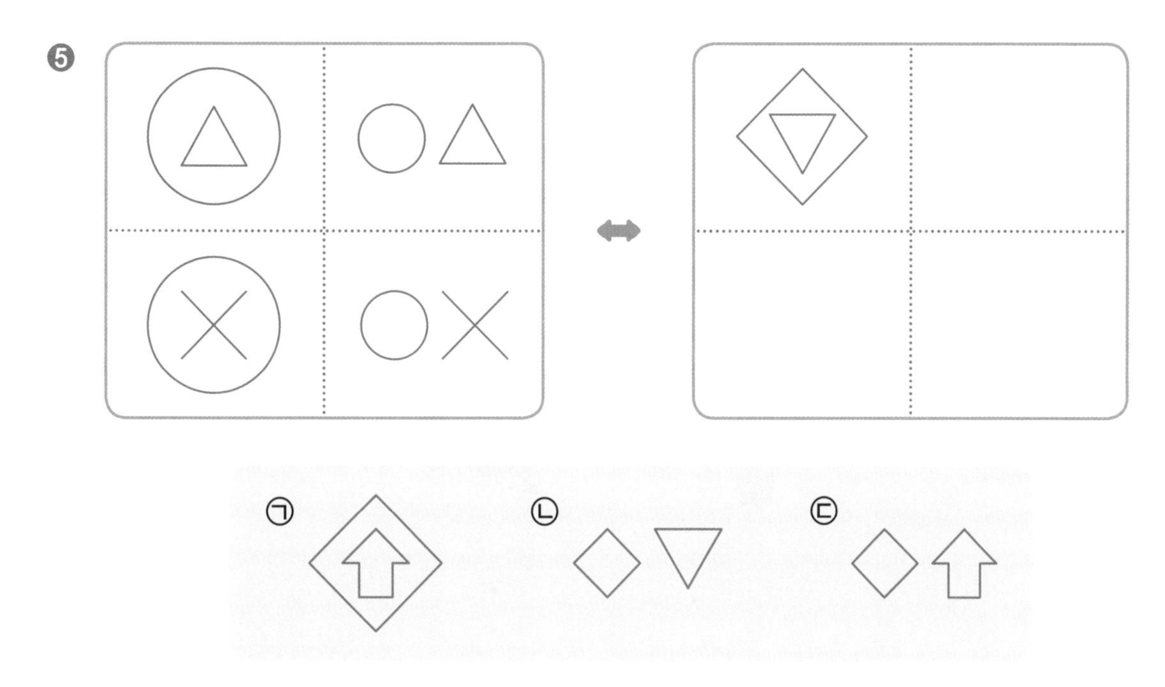

✤ 화살표 규칙에 따라 빈 곳에 알맞게 색칠해 보세요.

❻

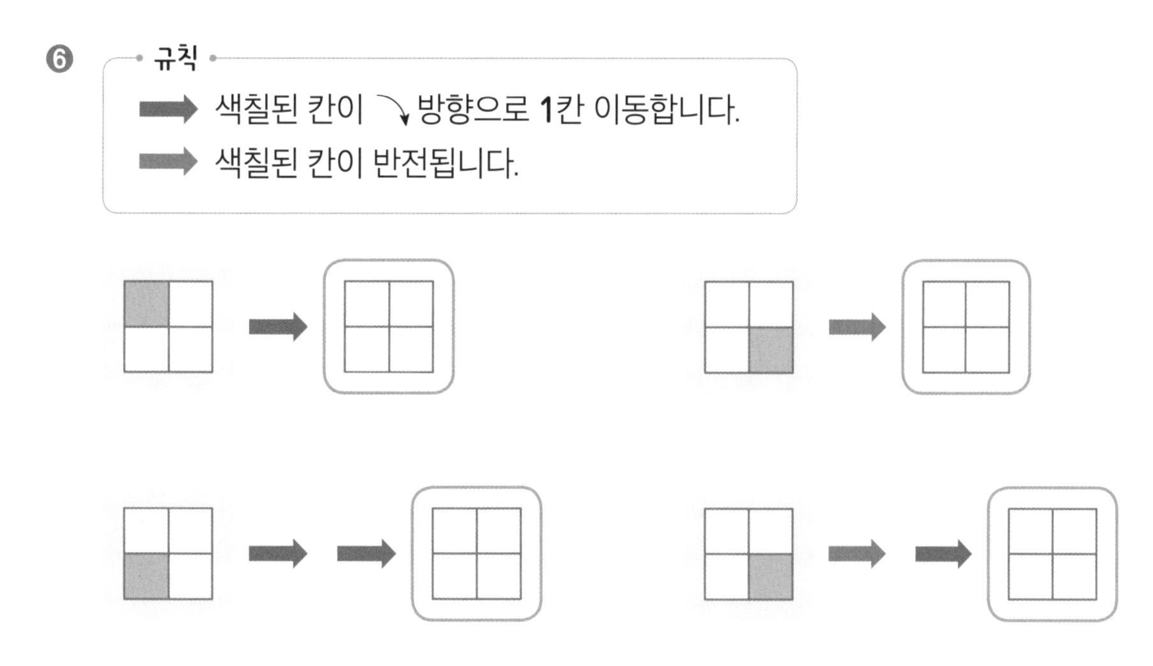

규칙
색칠된 칸이 ↘ 방향으로 1칸 이동합니다.
색칠된 칸이 반전됩니다.

TEST 3 마무리 평가

다른 그림과 어울리지 않는 것 1개를 골라 ×표 하세요.

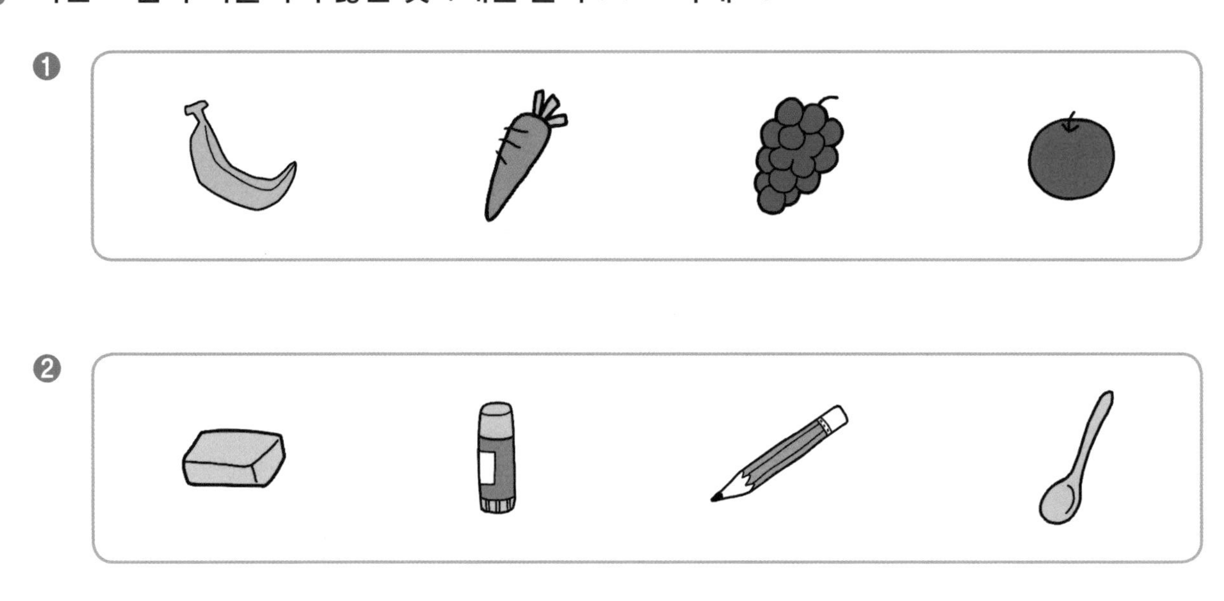

❶

❷

우즐카드 6장을 일정한 기준에 따라 분류한 것입니다. 빈 곳에 분류한 기준을 써넣으세요.

❸

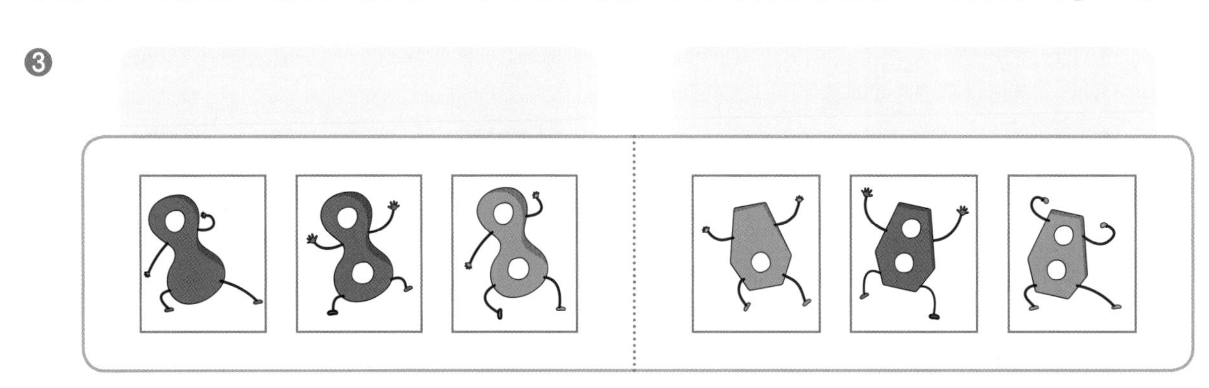

제한 시간	15분
맞은 개수	/ 7개

관계가 같은 것끼리 선으로 이어 보세요.

❹
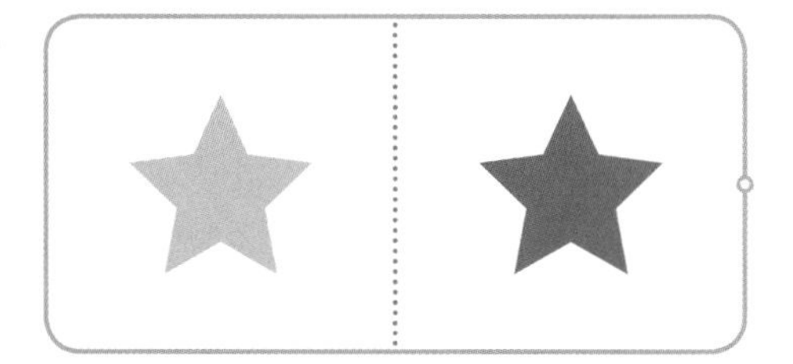
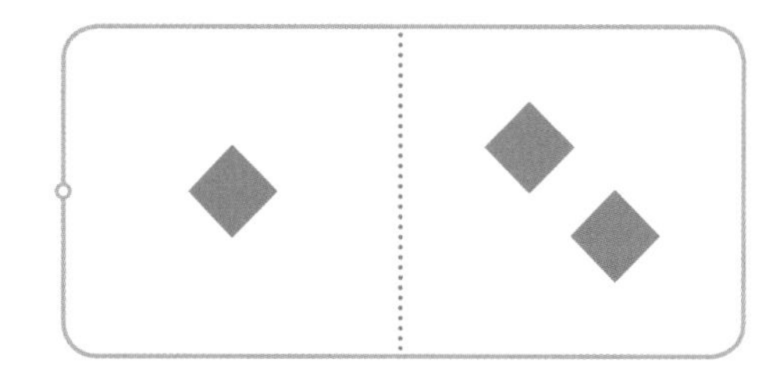

❺
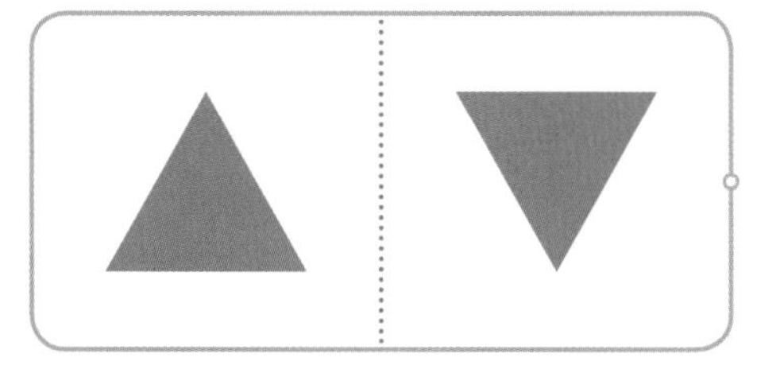

❻
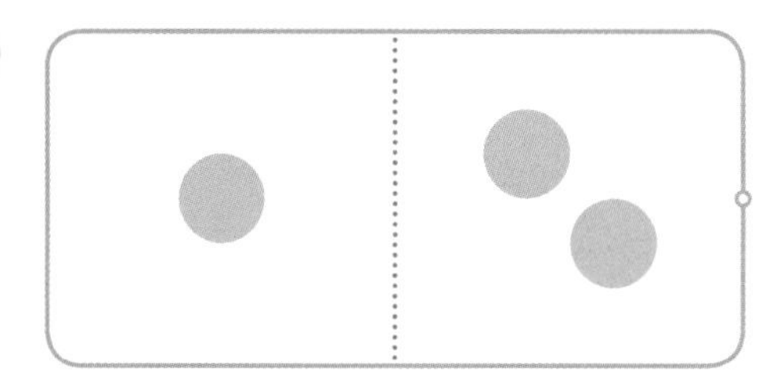

규칙을 찾아 빈 곳에 알맞게 색칠해 보세요.

❼
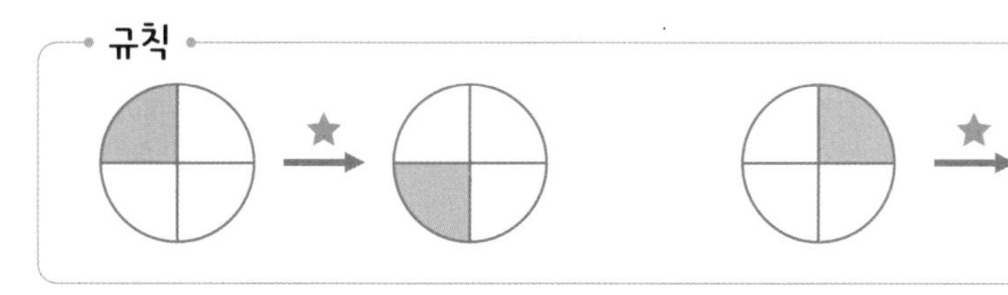

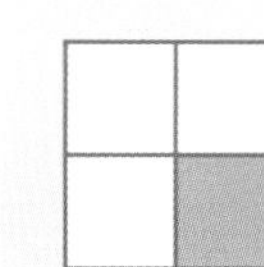
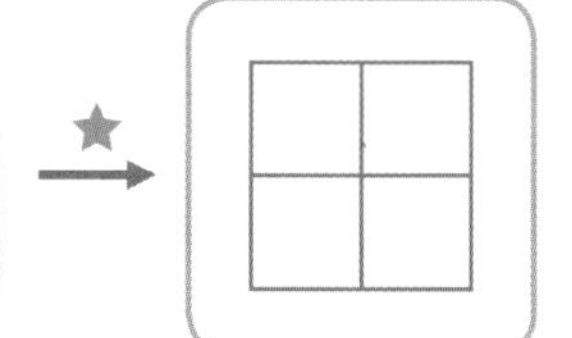
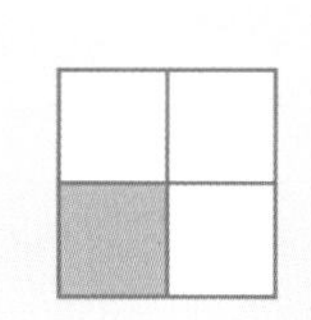
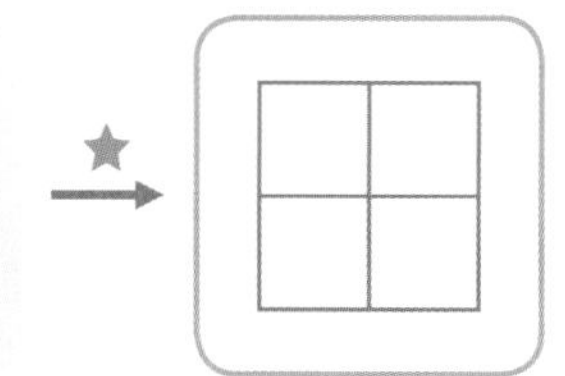

마무리 평가

✤ 다음 그림들은 공통점이 있습니다. 빈칸에 알맞은 그림에 ◯표 하세요.

❶

?

✤ 공통점을 찾아 선으로 이어 보세요.

❷

구멍이 1개입니다.
빨간색입니다.
곧은 선으로 된 모양입니다.

왼쪽과 같은 관계가 되도록 빈 곳에 알맞은 단어를 쓰세요.

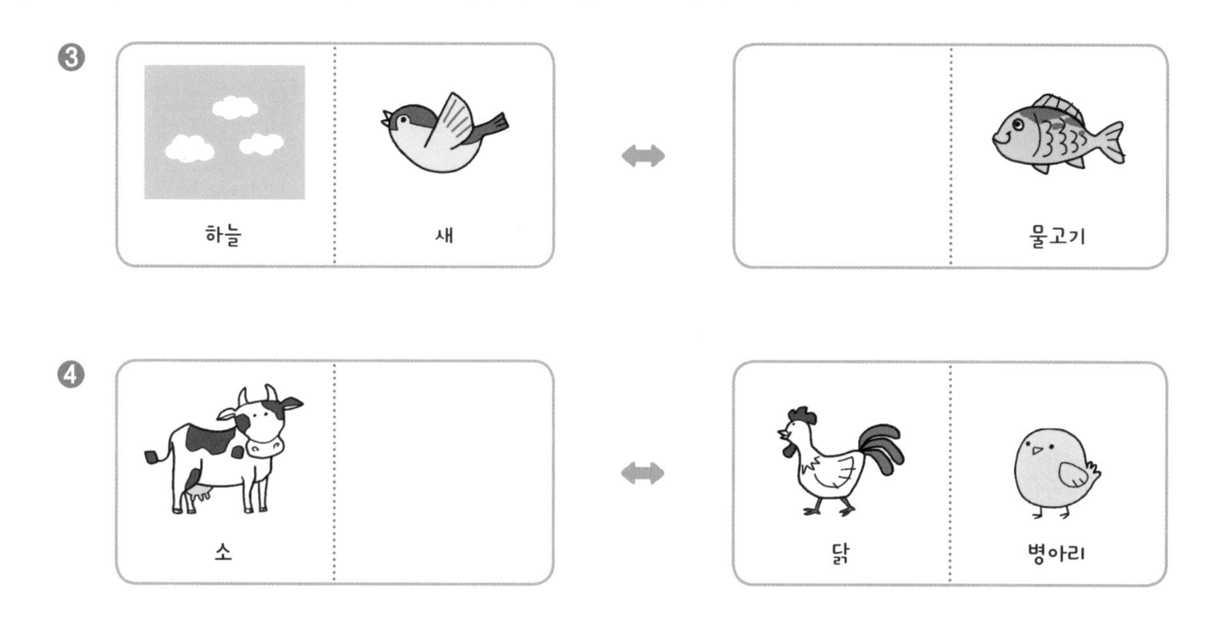

모양이 합쳐지는 규칙을 찾아 알맞게 색칠해 보세요.

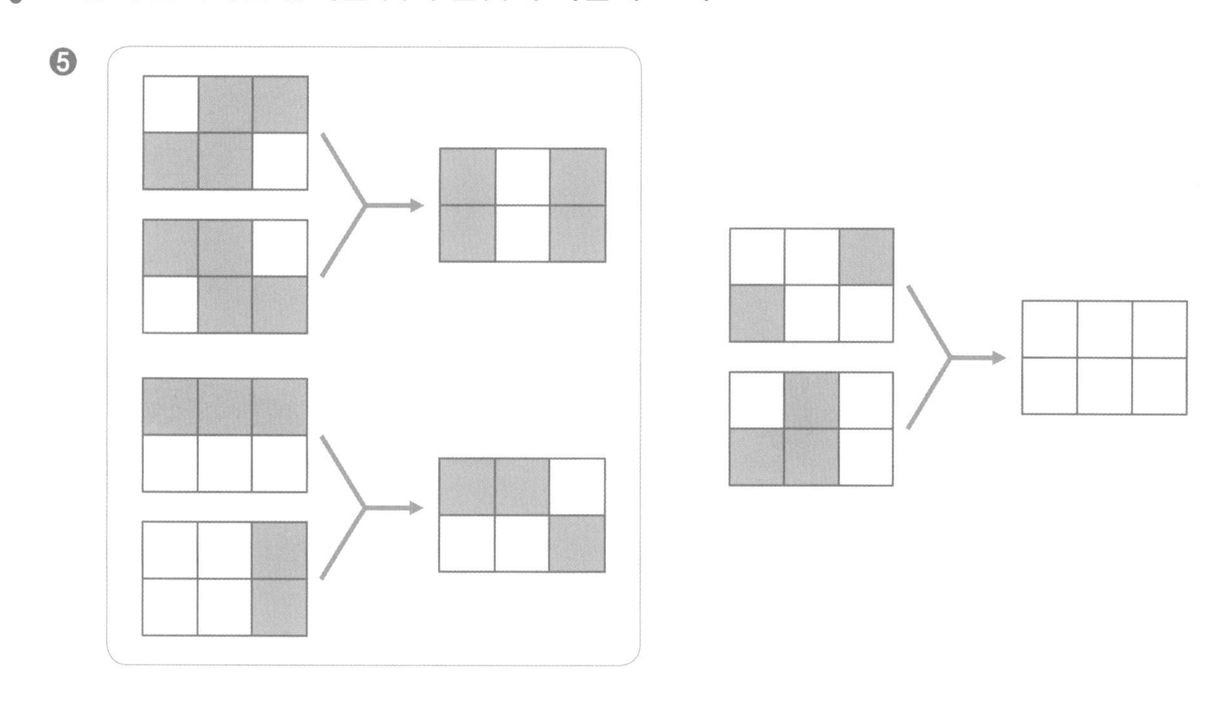

TEST 5

마무리 평가

주어진 단추의 공통점을 써 보세요.

❶

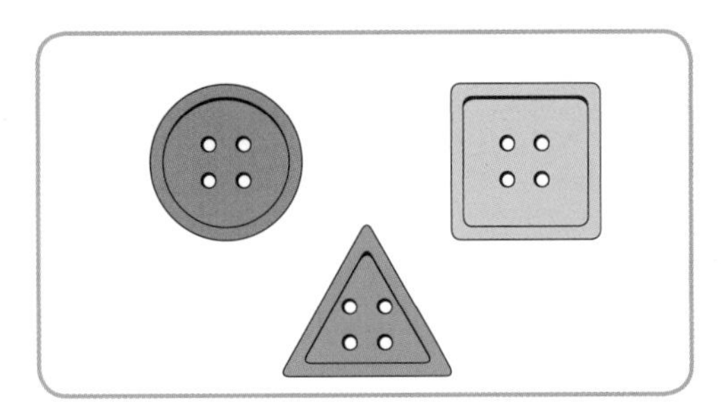

❷

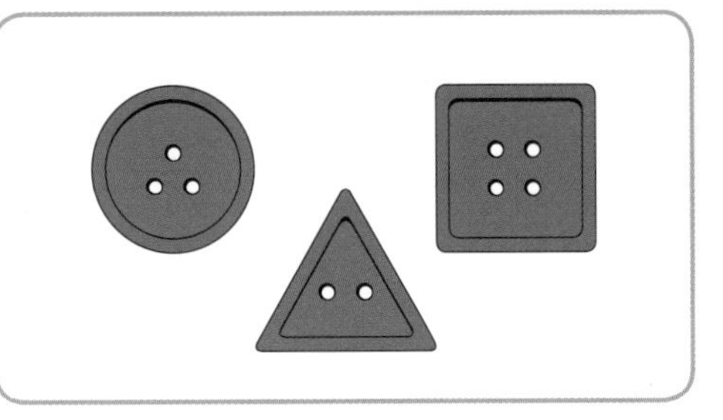

기준에 따라 분류한 것입니다. 빈 곳에 분류한 기준을 써넣으세요.

❸

제한 시간	15분
맞은 개수	/ 7개

✤ 관계를 찾아 빈 곳에 알맞은 모양을 그리거나 색칠해 보세요.

❹

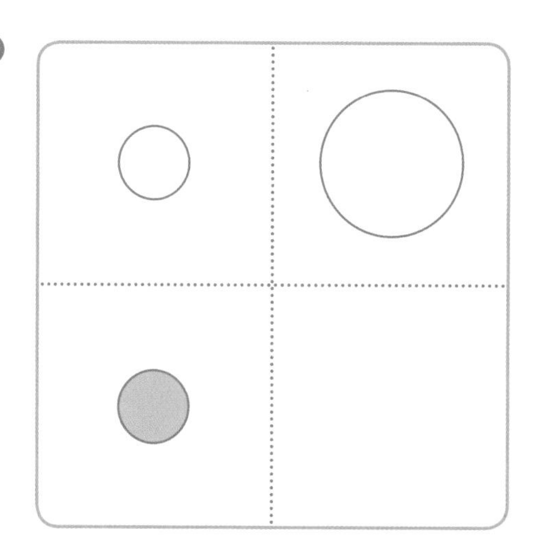

❺

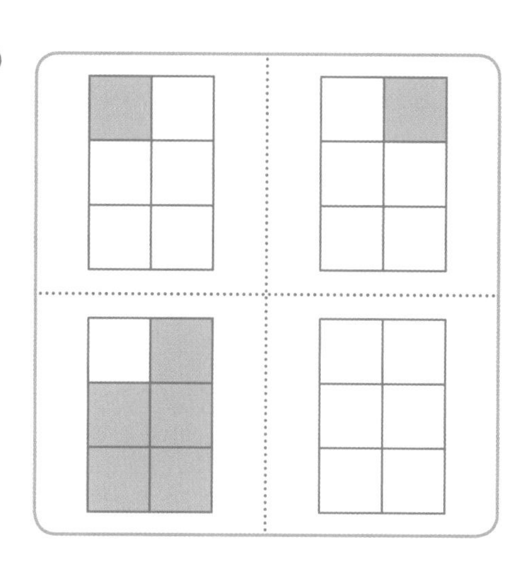

✤ 화살표 규칙을 찾아 빈 곳에 알맞은 수를 써넣으세요.

❻

규칙

3 —■→ 8　　4 —■→ 9

4 —▲→ 1　　7 —▲→ 4

1 —■→ —▲→ □

8 —▲→ —▲→ —■→ □

❼

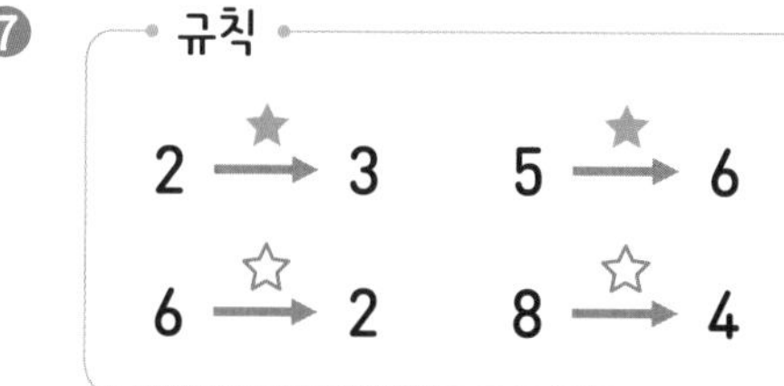

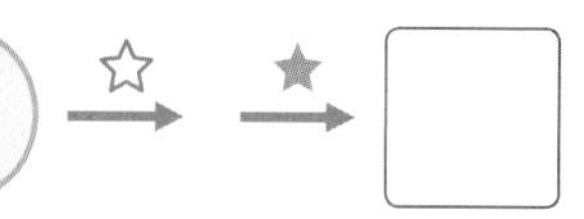

pensées

사고가 자라는 수학
씨투엠

‘사고력수학의 시작’

팡세

pensées

P3

정답과 풀이

‘사고력수학의 시작’

팡세

pensées

P3

정답과 풀이

1주차 공통점과 차이점

DAY 1 무엇일까요

설명하는 것을 찾아 ○표 하세요.

1. 동물입니다.
2. 다리가 4개입니다.
3. 회색입니다.

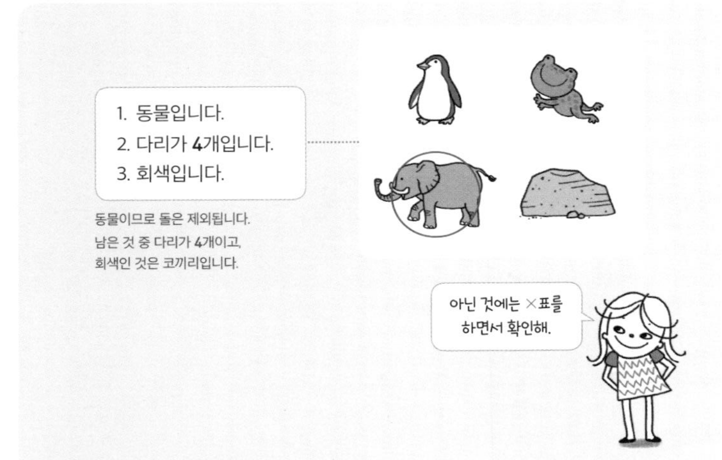

동물이므로 돌은 제외됩니다.
남은 것 중 다리가 4개이고,
회색인 것은 코끼리입니다.

❶

1. 과일입니다.
2. 빨간색입니다.
3. '사'로 시작합니다.

pensées

❷

1. 먹을 수 있습니다.
2. 차갑게 먹습니다.

❸

1. 타는 것입니다.
2. 하늘에 있습니다.
3. 세 글자입니다.

❹

1. 필통에 넣습니다.
2. 글씨를 쓸 수 있습니다.
3. 지우개로 지울 수 있습니다.

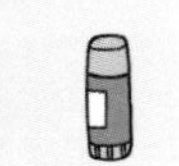

공통점 찾기

공통점을 찾아 선으로 이어 보세요.

❶ 물에서 삽니다.

❷ 부엌에 있는 물건입니다.

❸ 하늘을 날 수 있습니다.

❹ 타고 다닐 수 있습니다.

❺ □ 모양입니다.

❻ 화장실에 있는 물건입니다.

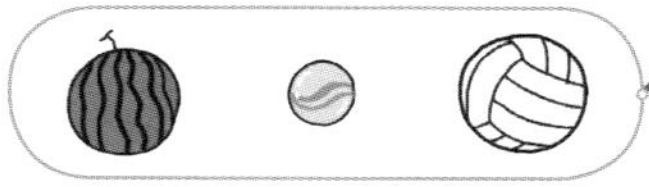

❼ ○ 모양입니다.

❽ 다리가 4개인 동물입니다.

❾ 초록색입니다.

❿ 과일입니다.

1 주차 공통점과 차이점

DAY 3 나머지와 다른 것

pensées

다른 그림과 어울리지 않는 것 1개를 골라 ×표 하세요.

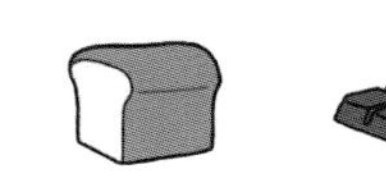  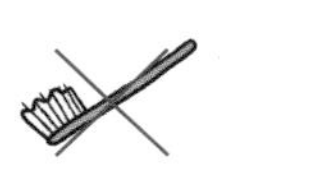

빵, 초콜릿, 바나나는 먹을 수 있지만 칫솔은 먹을 수 없습니다.

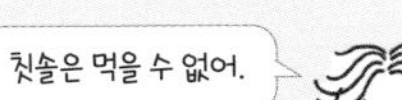

❶

전화기를 제외하면 모두 모자입니다.

❷

개구리, 호랑이, 새는 동물이지만 신발은 동물이 아닙니다.

❸

제비는 물속에 살지 않지만 나머지는 물속에 삽니다.

❹

책상은 교실에서 볼 수 있지만 나머지는 놀이터에서 볼 수 있습니다.

❺

연필은 방에서 볼 수 있지만 나머지는 부엌에서 볼 수 있습니다.

❻

의자는 전기가 필요없지만 나머지는 전기가 필요합니다.

DAY 4 알맞은 그림 찾기

그림들의 공통점을 찾아 빈칸에 가장 알맞은 그림에 ○표 하세요.

모두 과일이므로 알맞은 것은 귤입니다.

❶

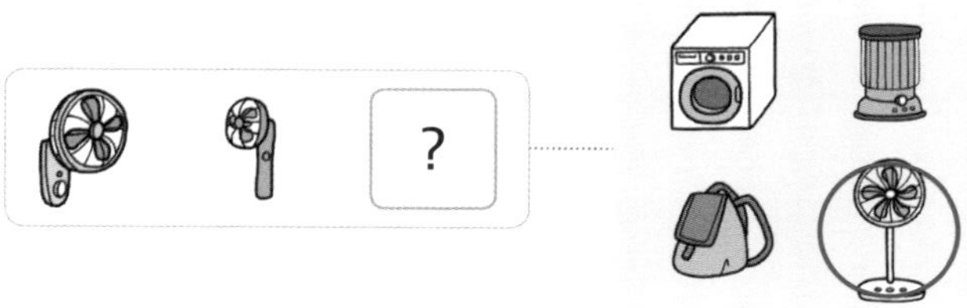

모두 선풍기이므로 빈칸에 알맞은 것은 선풍기입니다.

❷

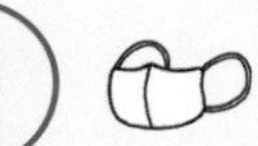

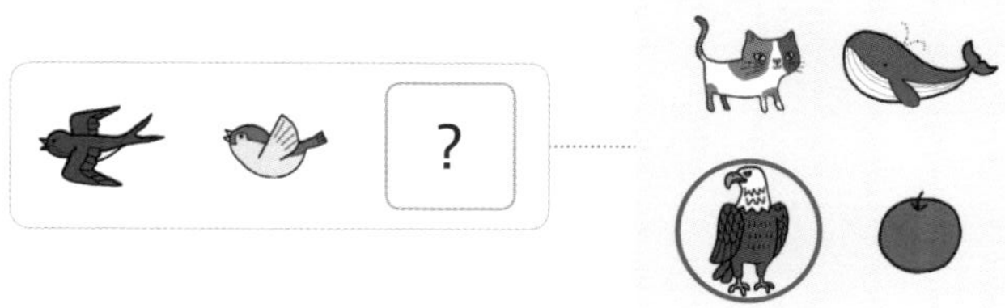

모두 새이므로 빈칸에 알맞은 것은 새입니다.

❸

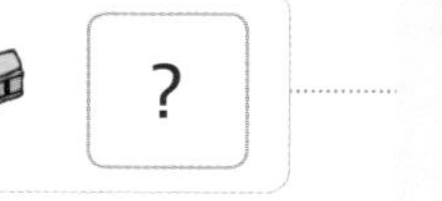

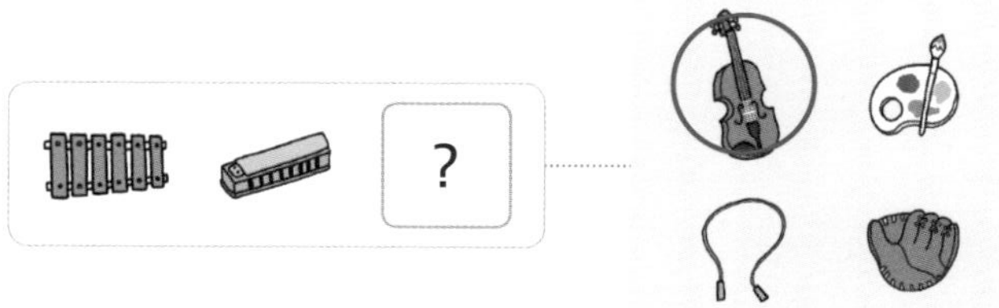

모두 악기이므로 빈칸에 알맞은 것은 악기입니다.

❹

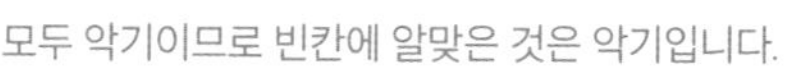

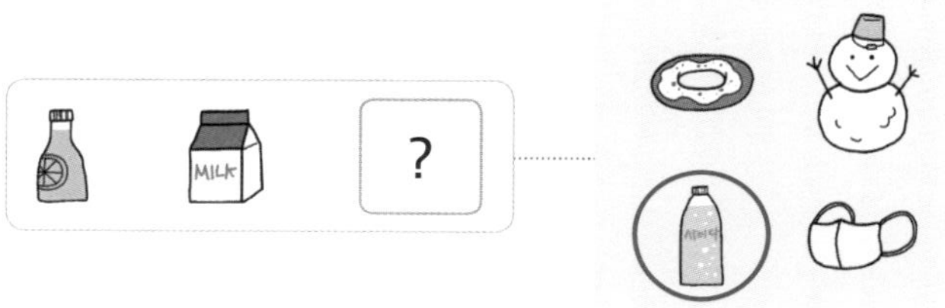

모두 마실 것이므로 빈칸에 알맞은 것은 마실 것입니다.

공통점과 차이점

DAY 5 단추의 공통점

✎ 단추의 공통점을 찾아 써 보세요.

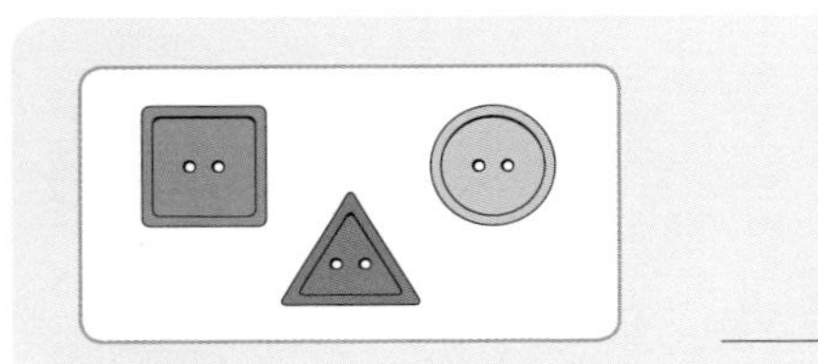

구멍이 2개입니다.

단추의 모양, 색깔,
구멍의 개수에서
공통점을 찾아봐.

❶

○ 모양입니다.

❷

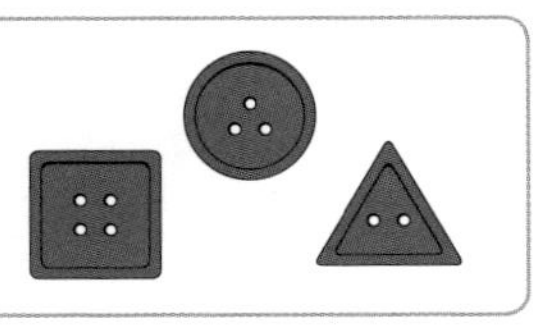

빨간색입니다.

❸

△ 모양입니다.

❹

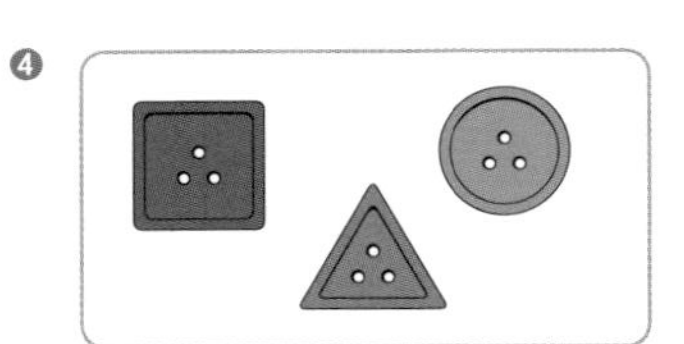

구멍이 3개입니다.

❺

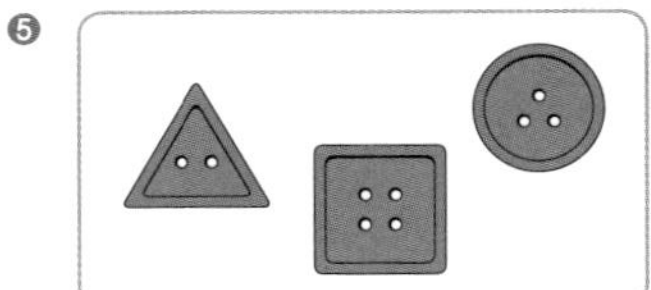

초록색입니다.

확인학습

그림들의 공통점을 찾아 빈칸에 가장 알맞은 그림에 ○표 하세요.

❶

모두 다리가 4개 있는 동물이므로 빈칸에도 다리가 4개인 동물이 와야 합니다.

단추의 공통점을 찾아 써 보세요.

❷

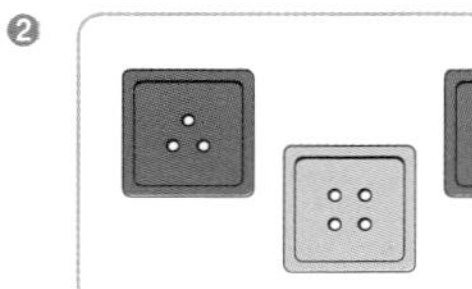

□ 모양입니다.

❸

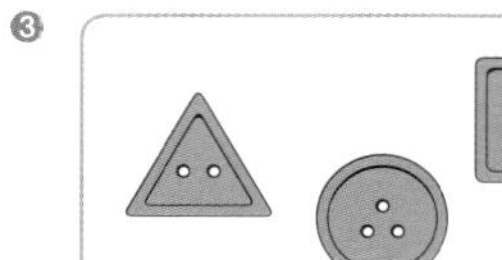

파란색입니다.

2주차 우즐카드

DAY 1 분류 기준 (1)

기준에 따라 분류한 것입니다. 빈 곳에 분류한 기준을 써넣으세요.

날 수 있습니다.	날 수 없습니다.

여러 가지 물건이나 동물 등을 같은 것과 다른 것으로 분류하기 위해 정하는 것을 기준이라고 해.

❶

살아있습니다.	살아있는 것이 아닙니다.

❷

전기를 사용합니다.	전기를 사용하지 않습니다.

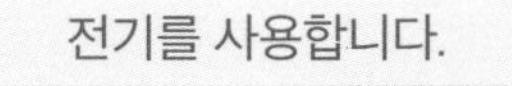

❸

먹을 수 있습니다.	먹을 수 없습니다.

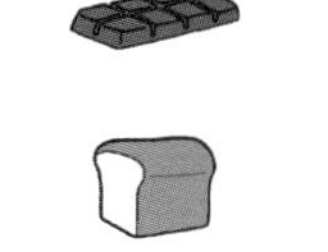

❹

다리가 4개입니다.	다리가 4개가 아닙니다.

또는 새끼를 낳습니다.	알을 낳습니다.

공통점

공통점을 찾아 선으로 이어 보세요.

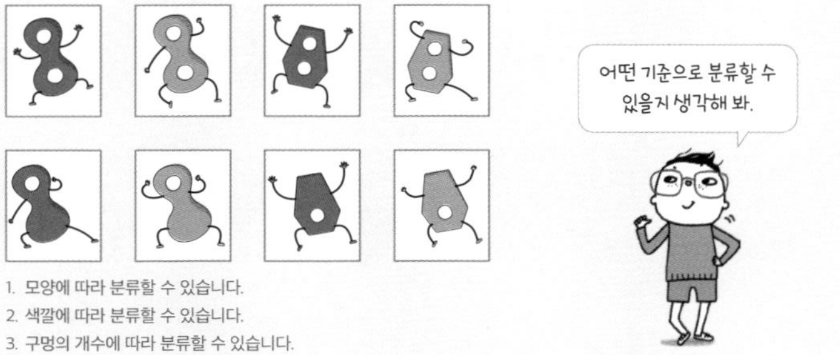

1. 모양에 따라 분류할 수 있습니다.
2. 색깔에 따라 분류할 수 있습니다.
3. 구멍의 개수에 따라 분류할 수 있습니다.

어떤 기준으로 분류할 수 있을지 생각해 봐.

❶

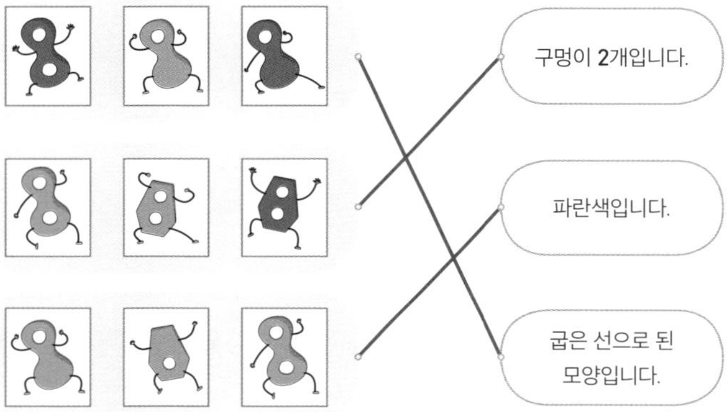

구멍이 2개입니다.

파란색입니다.

굽은 선으로 된 모양입니다.

❷

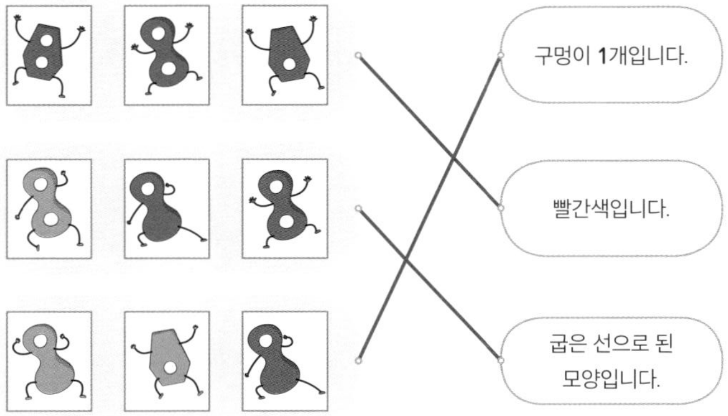

구멍이 1개입니다.

빨간색입니다.

굽은 선으로 된 모양입니다.

❸

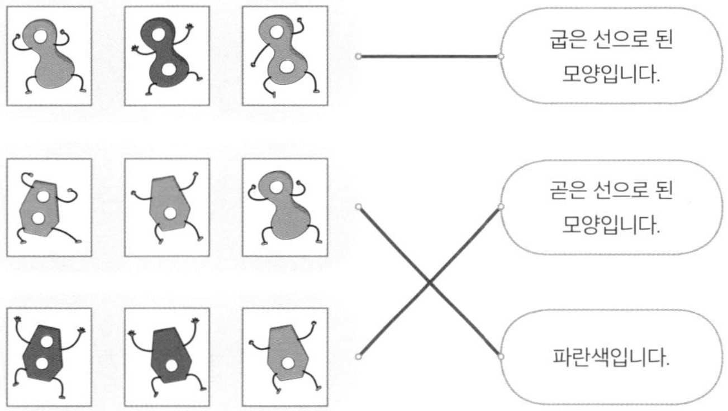

굽은 선으로 된 모양입니다.

곧은 선으로 된 모양입니다.

파란색입니다.

2주차 우즐카드

DAY 3 잘못 들어간 것

pensées

✎ 우즐카드를 공통점을 찾아 모은 것입니다. 잘못 들어간 것에 ×표 하세요.

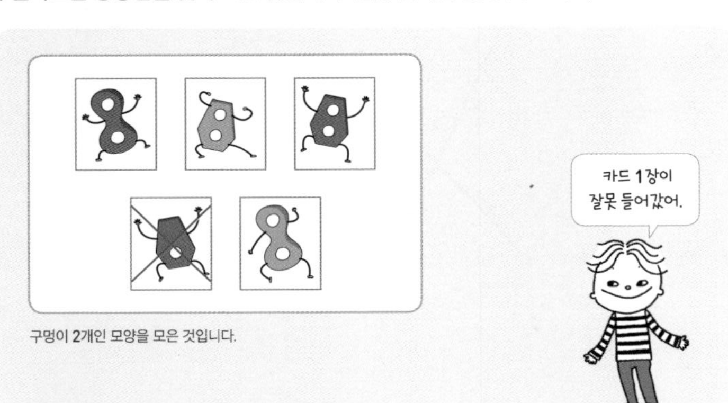

구멍이 2개인 모양을 모은 것입니다.

❶

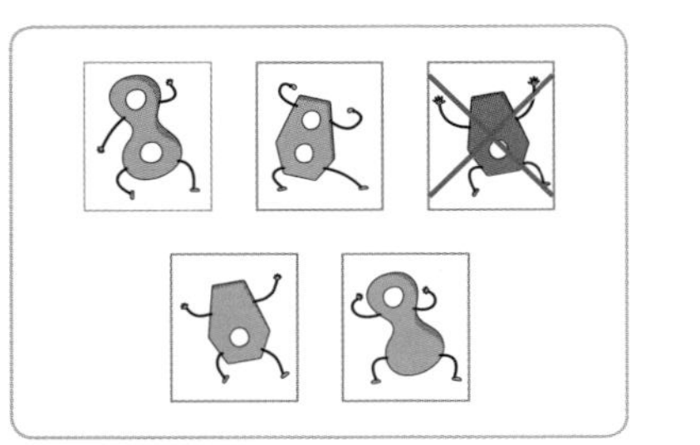

파란색 모양을 모은 것입니다.

❷

곧은 선으로 된 모양을 모은 것입니다.

❸

구멍이 1개인 모양을 모은 것입니다.

❹

빨간색 모양을 모은 것입니다.

DAY 4

분류 기준 (2)

우즐카드 6장을 일정한 기준에 따라 분류한 것입니다. 빈 곳에 분류한 기준을 써넣으세요.

구멍의 개수가 2개인 것과 1개인 것으로 분류한 것입니다.

❶ 곧은 선으로 된 모양입니다. | 굽은 선으로 된 모양입니다.

pensées

❷ 파란색입니다. | 빨간색입니다.

❸ 굽은 선으로 된 모양입니다. | 곧은 선으로 된 모양입니다.

❹ 구멍이 1개입니다. | 구멍이 2개입니다.

2주차 우즐카드

DAY 5 도형 우즐카드

✎ 분류 기준에 따라 나눈 것입니다. 빈 곳에 알맞은 것의 기호를 쓰세요.

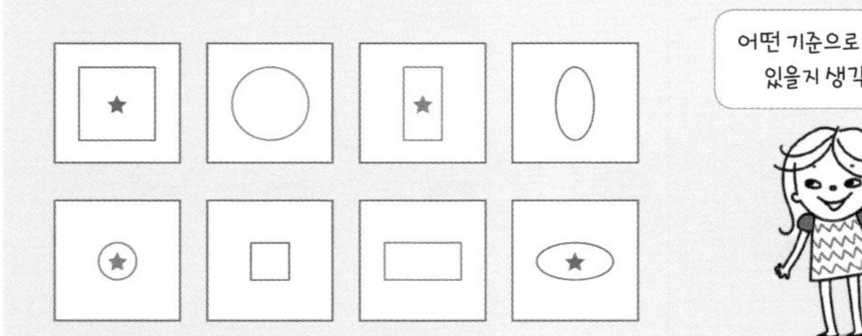

❶

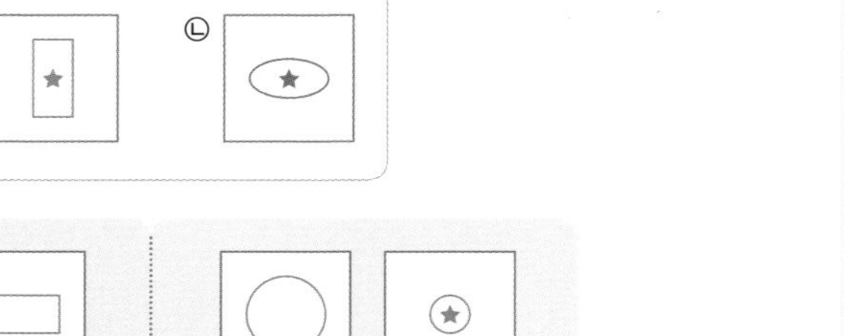

선의 모양에 따라 분류한 것입니다.

❷

❸

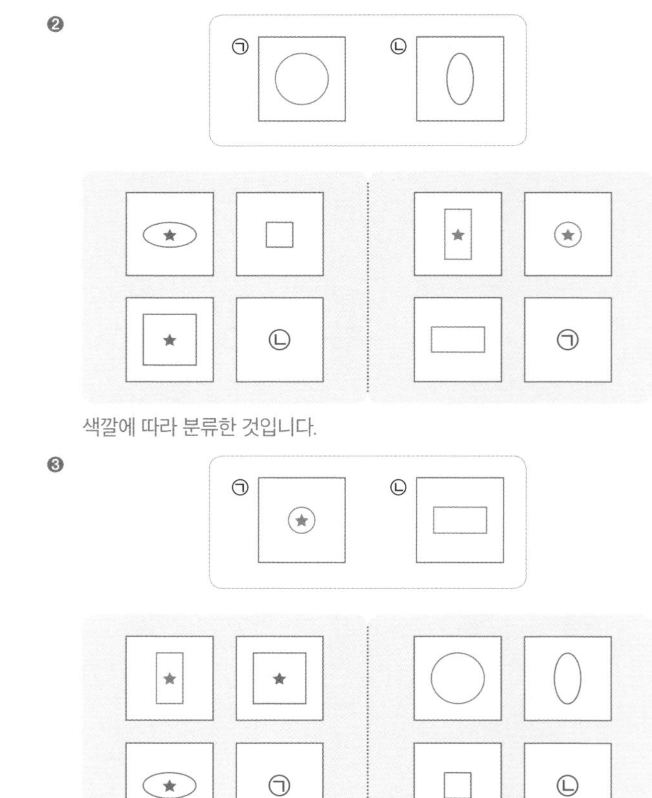

색깔에 따라 분류한 것입니다.

★ 무늬에 따라 분류한 것입니다.

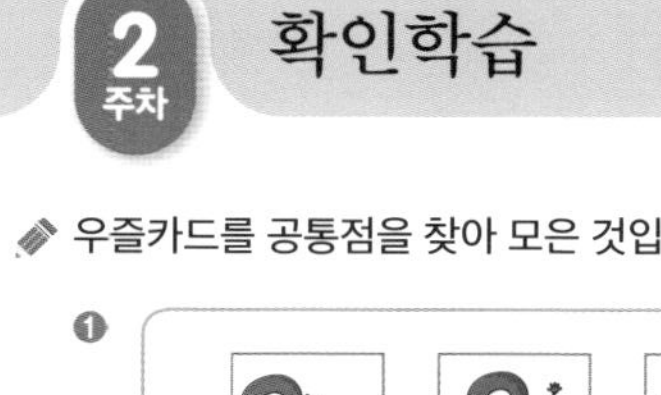

2주차 확인학습

우즐카드를 공통점을 찾아 모은 것입니다. 잘못 들어간 것에 ×표 하세요.

❶

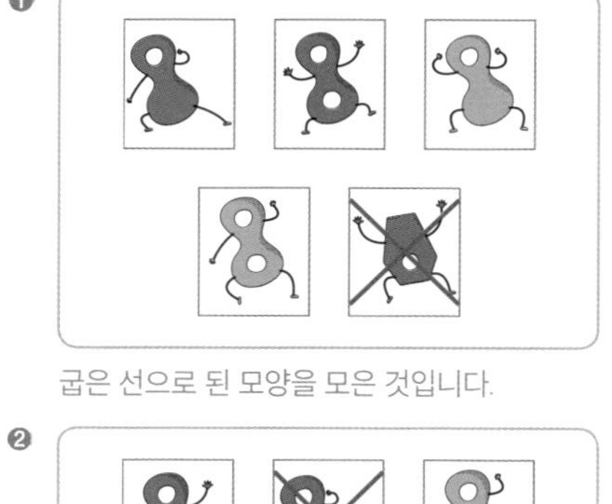

굽은 선으로 된 모양을 모은 것입니다.

❷

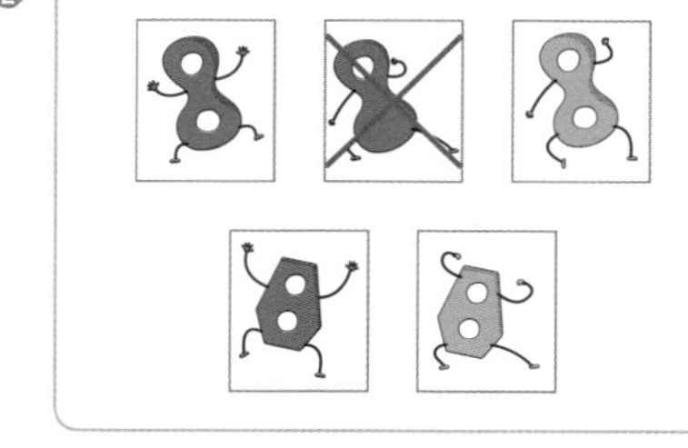

구멍이 2개인 모양을 모은 것입니다.

우즐카드 6장을 일정한 기준에 따라 분류한 것입니다. 빈 곳에 분류한 기준을 써넣으세요.

❸

빨간색입니다. 파란색입니다.

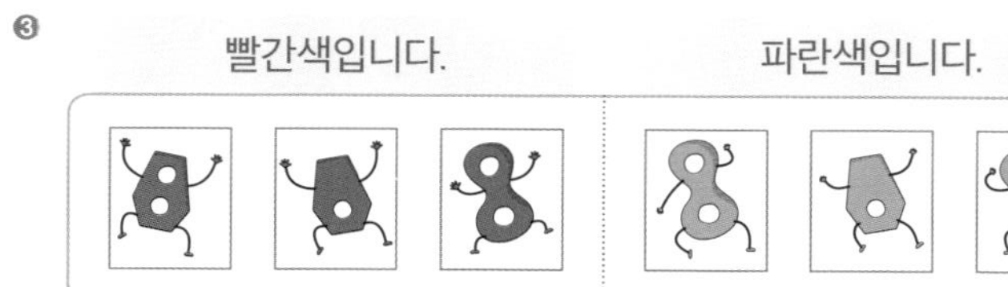

3주차 관계 추리

DAY 1 관계 있는 물건

pensées

✏ 왼쪽의 관계를 보고 빈 곳에 알맞은 단어를 쓰세요.

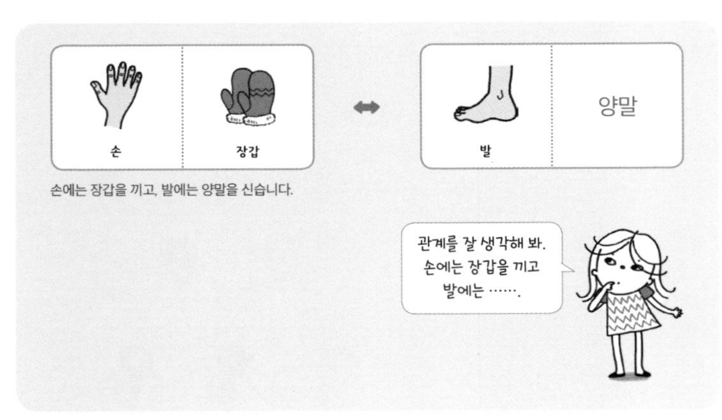

손에는 장갑을 끼고, 발에는 양말을 신습니다.

❶

원숭이는 바나나를 좋아하고, 토끼 또는 말은 당근을 좋아합니다.

❷

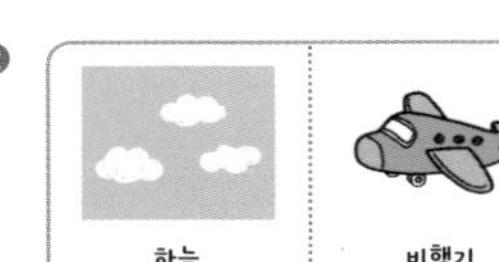
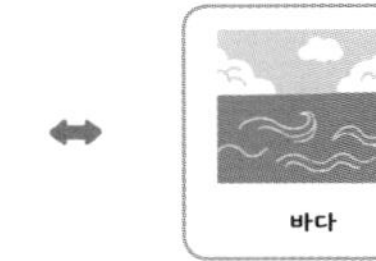

하늘에는 비행기가 있고, 바다에는 배가 있습니다.

❸

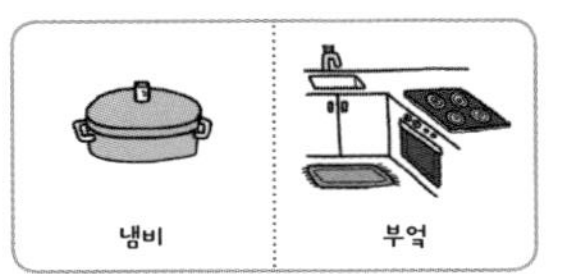
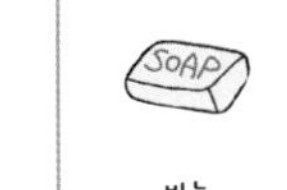
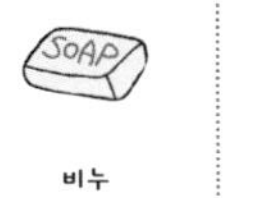

냄비는 부엌에 있고, 비누는 화장실에 있습니다.

❹

올챙이는 개구리가 되고, 병아리는 닭이 됩니다.

❺

학교에 선생님이 있고, 경찰서에 경찰이 있습니다.

❻

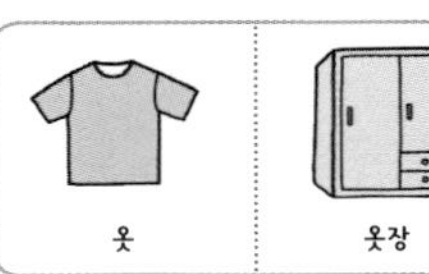

옷은 옷장에 있고, 책은 책장에 있습니다.

DAY 2

관계가 같은 것 (1)

관계가 같은 것끼리 선으로 이어 보세요.

❶ 오른쪽으로 뒤집었습니다.

❷ 개수가 늘어났습니다.

❸ 색깔이 반전되었습니다.

❹ 색깔이 바뀌었습니다.

❺ 도형을 반으로 나눈 모양입니다.

❻ 크기가 작아졌습니다.

❼ 개수가 늘어났습니다.

❽ 색깔이 바뀌었습니다.

❾ 모양이 회전되었습니다.

❿ 색깔이 반전되었습니다.

DAY 3 관계가 같은 것 (2)

주어진 카드와 관계가 같은 카드를 찾아 기호를 쓰세요.

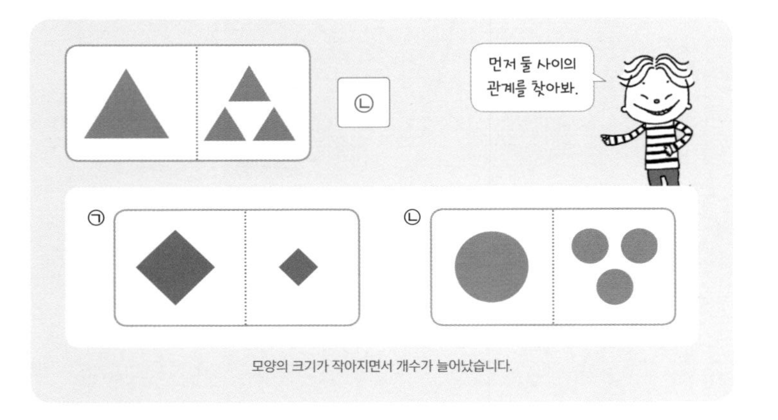

모양의 크기가 작아지면서 개수가 늘어났습니다.

❶

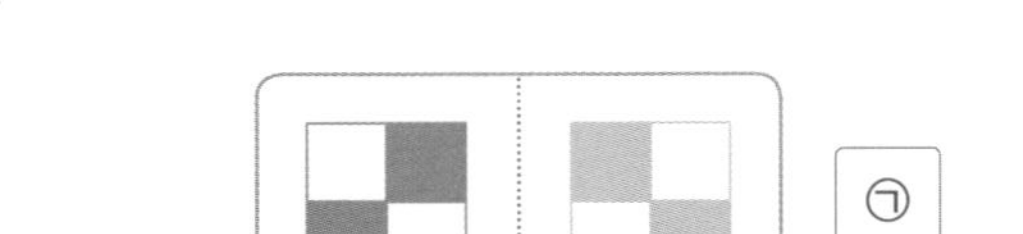

㉠

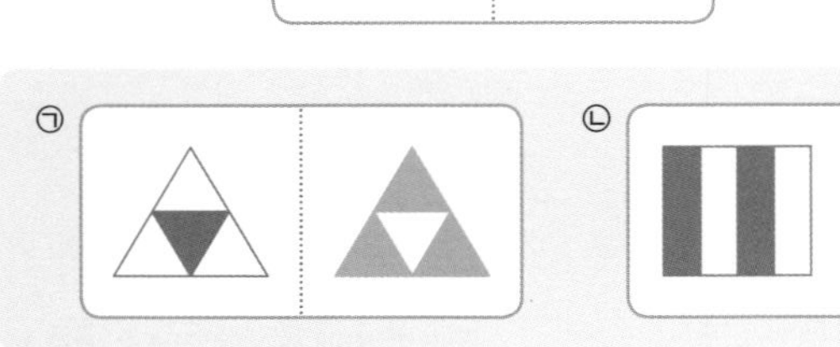

색깔이 반전되면서 색깔도 바뀌었습니다.

❷

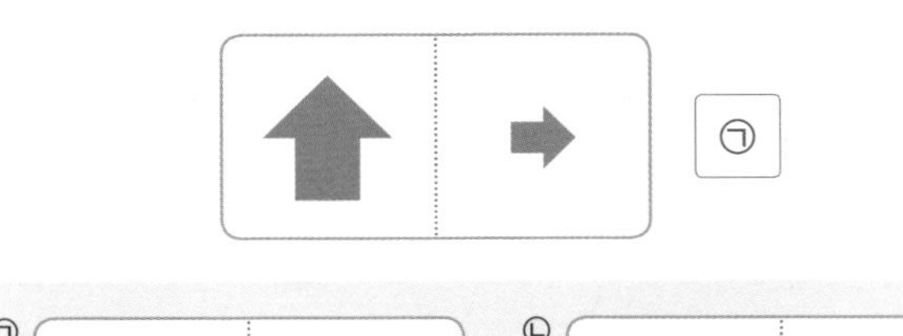

크기가 작아지면서 ↷ 방향으로 회전되었습니다.

❸

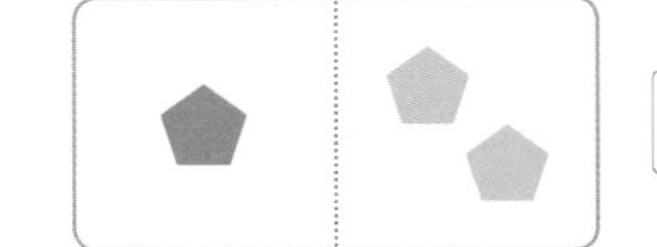

㉡

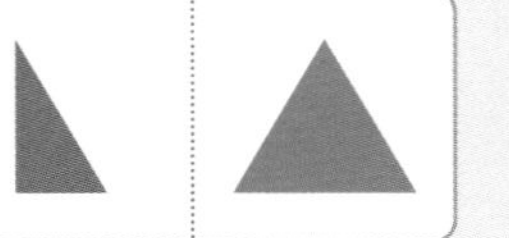

색깔이 바뀌면서 개수도 늘어났습니다.

관계 매트릭스 (1)

왼쪽과 같은 관계가 되도록 오른쪽 빈 곳에 알맞은 기호를 쓰세요.

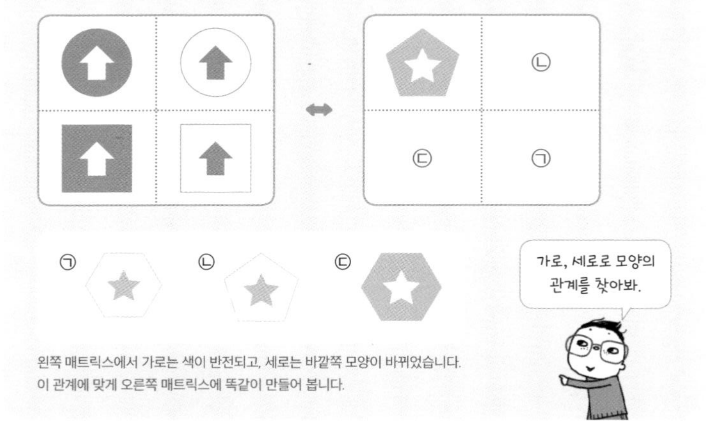

왼쪽 매트릭스에서 가로는 색이 반전되고, 세로는 바깥쪽 모양이 바뀌었습니다.
이 관계에 맞게 오른쪽 매트릭스에 똑같이 만들어 봅니다.

❶

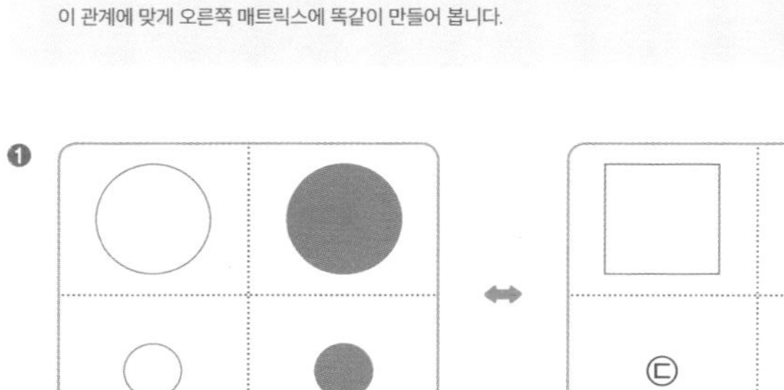

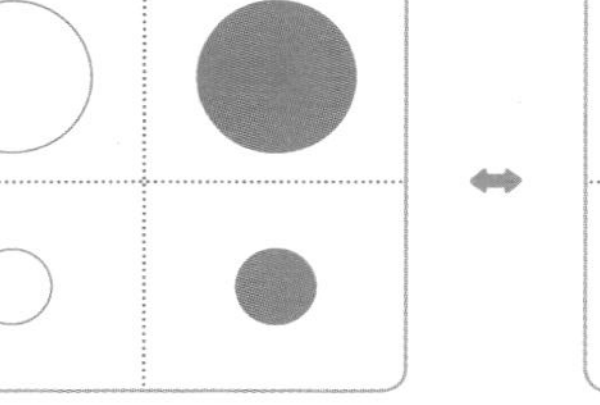

가로는 색칠했고, 세로는 크기가 작아졌습니다.

❷

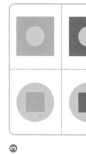

가로는 두 모양 중 오른쪽 모양만 있고, 세로는 개수는 같지만 모양이 달라졌습니다.

❸

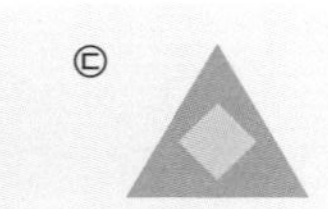

가로는 안쪽 모양과 바깥쪽 모양이 서로 바뀌었고, 세로는 안쪽 색깔과 바깥쪽 색깔이 각각 바뀌었습니다.

DAY 5 관계 매트릭스 (2)

관계를 찾아 빈 곳에 알맞은 모양을 그리거나 색칠해 보세요.

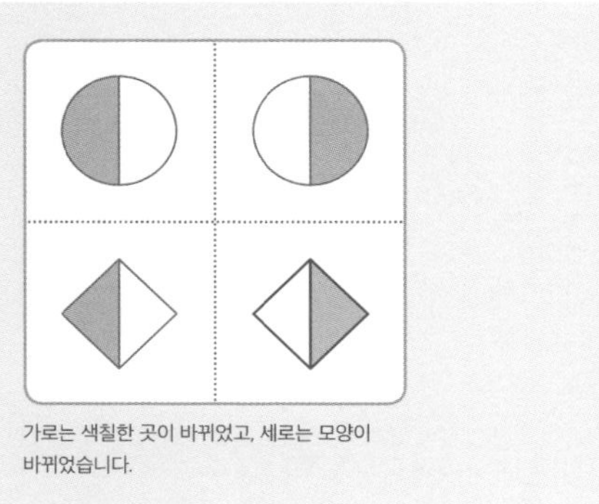

가로는 색칠한 곳이 바뀌었고, 세로는 모양이 바뀌었습니다.

가로, 세로로 모양의 관계를 찾아봐.

❶

가로는 크기가 작아졌고, 세로는 색칠하였습니다.

❷

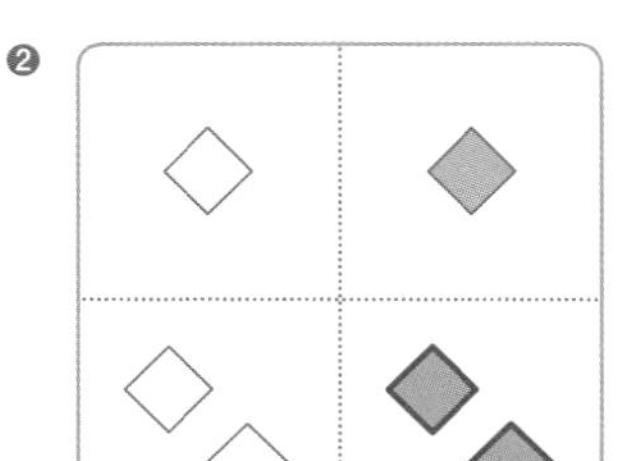

가로는 색칠하였고, 세로는 개수가 늘어났습니다.

❸

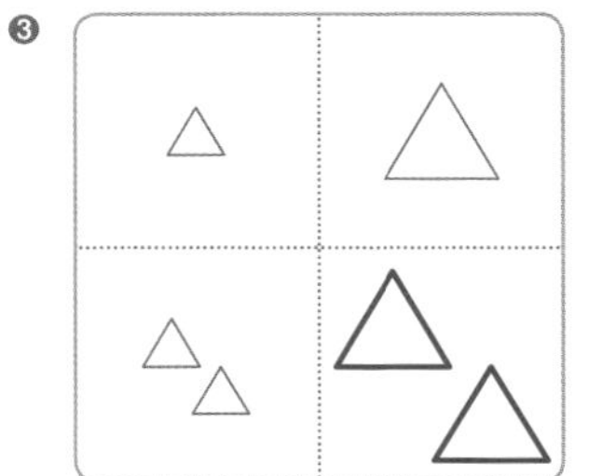

가로는 크기가 커졌고, 세로는 개수가 늘어났습니다.

❹

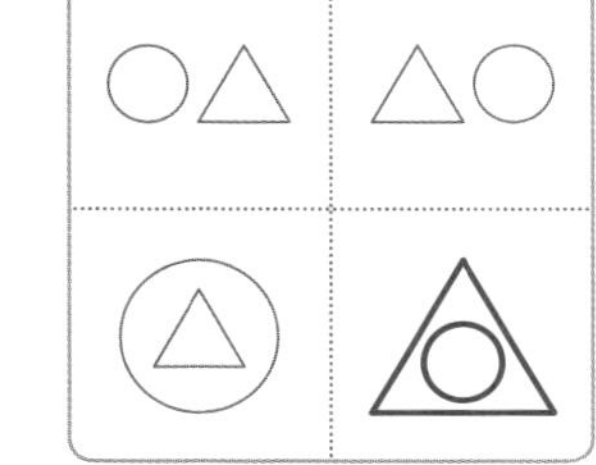

가로는 두 모양의 위치가 바뀌었고, 세로는 왼쪽 모양 안에 오른쪽 모양이 들어갑니다.

❺

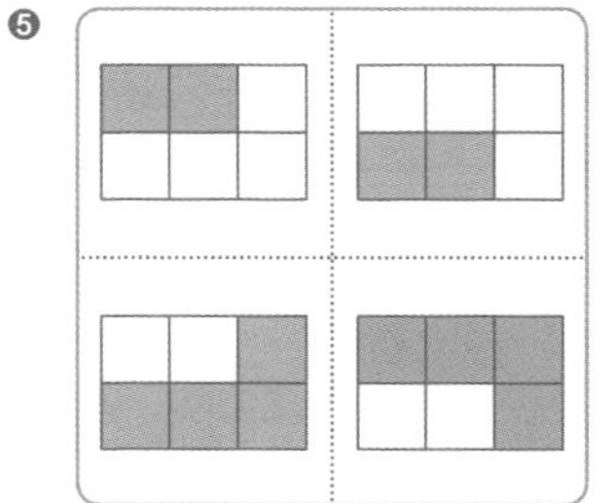

가로는 위아래로 뒤집은 모양이고, 세로는 색이 반전되었습니다.

❻

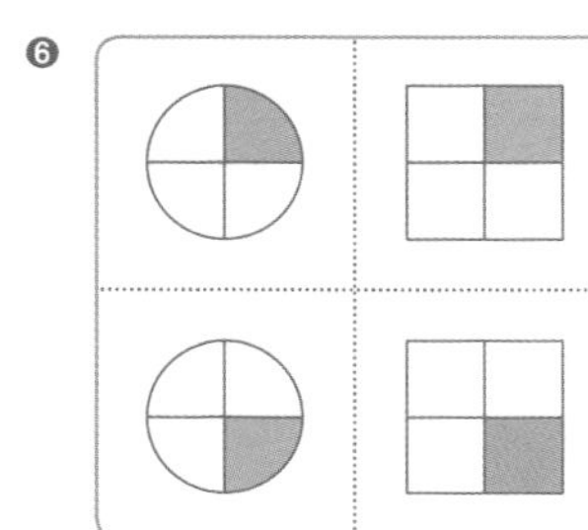

가로는 모양이 바뀌었고, 세로는 ↘만큼 회전한 모양입니다.

3 주차

확인학습

관계가 같은 것끼리 선으로 이어 보세요.

❶ ❷ ❸

도형을 반으로 나눈 모양입니다.

크기가 작아졌습니다.

색이 반전되었습니다.

관계를 찾아 빈 곳에 알맞은 모양을 그리거나 색칠해 보세요.

❹ ❺

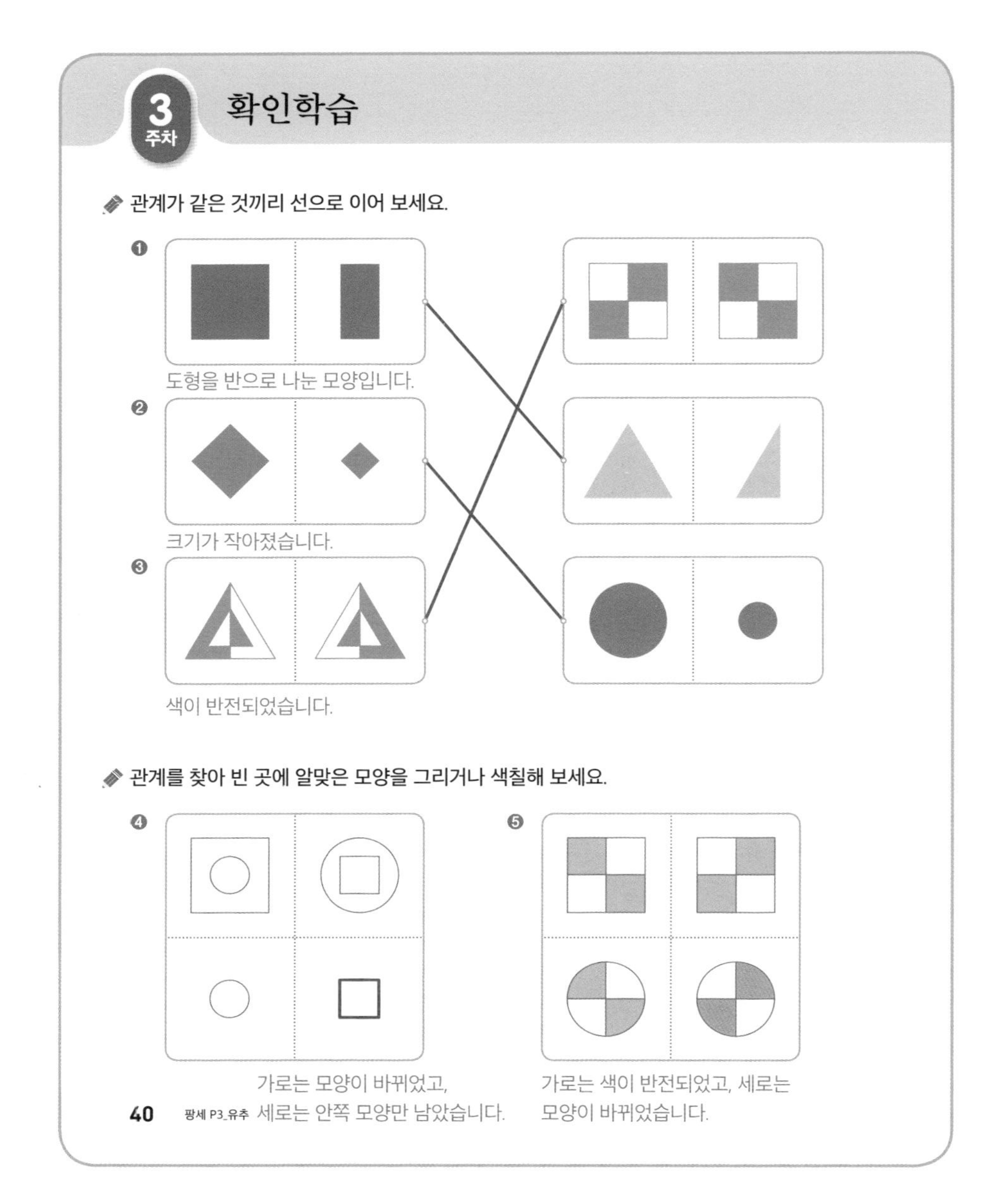

가로는 모양이 바뀌었고, 세로는 안쪽 모양만 남았습니다.

가로는 색이 반전되었고, 세로는 모양이 바뀌었습니다.

4주차 화살표 약속

DAY 1 화살표 규칙 (1)

pensées

화살표 규칙에 따라 빈 곳에 알맞은 수를 써넣으세요.

규칙
➡ 1을 더합니다.
➡ 1을 뺍니다.

② ➡ 3
2+1=3

⑦ ➡ ➡ 5
규칙에 따라 차례대로 계산합니다.
⑦ ➡ 6 ➡ 5
7−1=6 6−1=5

➡➡는 ➡규칙을 두 번 하라는 뜻이야.

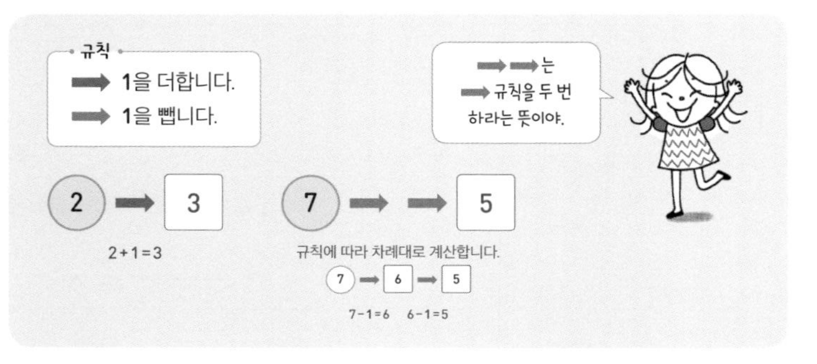

❶ 규칙
➡ 2를 더합니다.
➡ 3을 뺍니다.

① ➡ 3
1+2=3

⑤ ➡ 2
5−3=2

③ ➡ ➡ 7
2를 두 번 더합니다.
3+2=5, 5+2=7

⑦ ➡ ➡ 6
2를 더한 후 3을 뺍니다.
7+2=9, 9−3=6

❷ 규칙
➡ 1을 더합니다.
➡ 2를 더합니다.

③ ➡ 4
3+1=4

④ ➡ 6
4+2=6

⑤ ➡ ➡ 7
1을 두 번 더합니다.
5+1=6, 6+1=7

⑥ ➡ ➡ 9
2를 더한 후 1을 더합니다.
6+2=8, 8+1=9

❸ 규칙
➡ 4를 더합니다.
→ 2를 뺍니다.

④ ➡ 8
4+4=8

⑦ → 5
7−2=5

⑧ → → 4
2를 두 번 뺍니다.
8−2=6, 6−2=4

⑤ ➡ → 7
4를 더한 후 2를 뺍니다.
5+4=9, 9−2=7

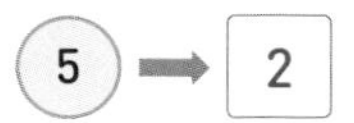
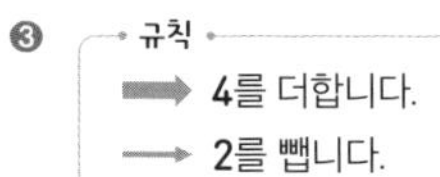

DAY 2 화살표 규칙 찾기 (1)

✎ 화살표 규칙을 찾아 빈 곳에 알맞은 수를 써넣으세요.

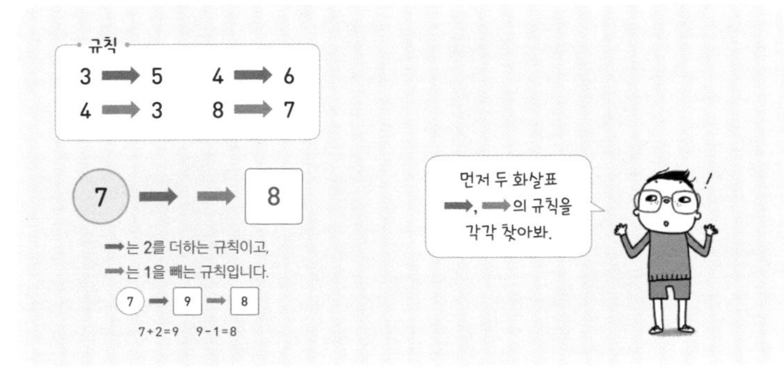

규칙
3 → 5　4 → 6
4 → 3　8 → 7
7 → → 8
→는 2를 더하는 규칙이고,
→는 1을 빼는 규칙입니다.
7 → 9 → 8
7+2=9　9−1=8
먼저 두 화살표
→, →의 규칙을
각각 찾아봐.

❶

3 → → 5

1을 더하는 규칙입니다.
3+1=4, 4+1=5

❷

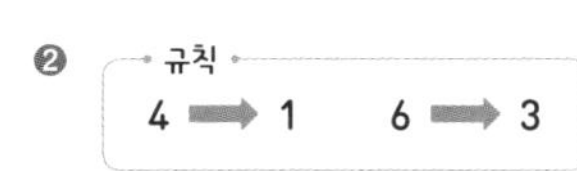

8 → → 2

3을 빼는 규칙입니다.
8−3=5, 5−3=2

❸ 규칙 3을 더하는 규칙입니다.
1 → 4　3 → 6
6 → 4　8 → 6
2를 빼는 규칙입니다.

2 → → 8

2+3=5, 5+3=8

7 → → 8

7+3=10, 10−2=8

❹ 규칙 4를 더하는 규칙입니다.
2 → 6　4 → 8
7 → 3　8 → 4
4를 빼는 규칙입니다.

3 → → 3

3+4=7, 7−4=3

5 → → 5

5−4=1, 1+4=5

❺ 규칙 2를 더하는 규칙입니다.
3 ★→ 5　5 ★→ 7
4 ▲→ 1　6 ▲→ 3
3을 빼는 규칙입니다.

6 ★→ ▲→ 5

6+2=8, 8−3=5

7 ▲→ ▲→ ★→ 3

7−3=4, 4−3=1, 1+2=3

❻ 규칙 1을 더하는 규칙입니다.
2 ●→ 3　3 ●→ 4
4 ○→ 2　5 ○→ 3
2를 빼는 규칙입니다.

8 ○→ ○→ 4

8−2=6, 6−2=4

1 ●→ ○→ ●→ 1

1+1=2, 2−2=0, 0+1=1

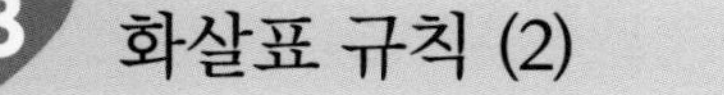

4주차 화살표 약속

DAY 3 화살표 규칙 (2)

화살표 규칙에 따라 빈 곳에 알맞은 그림을 그리거나 색칠해 보세요.

규칙
➡ 크기가 작아집니다.
➡ 개수가 1개 늘어납니다.

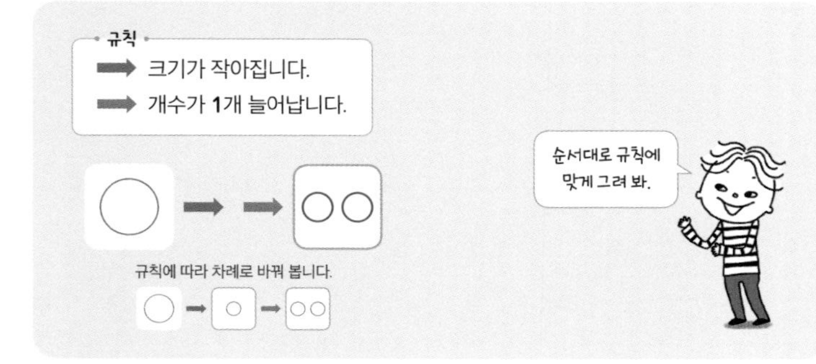

규칙에 따라 차례로 바꿔 봅니다.

❶ 규칙
➡ 색칠합니다.
➡ 크기가 커집니다.

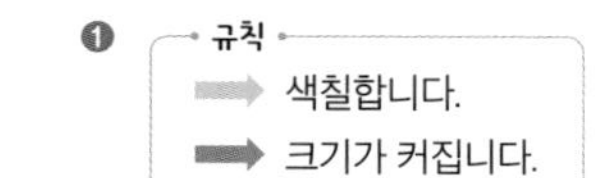

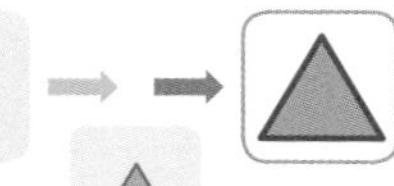

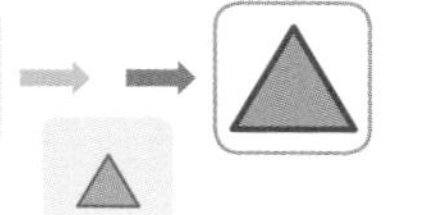

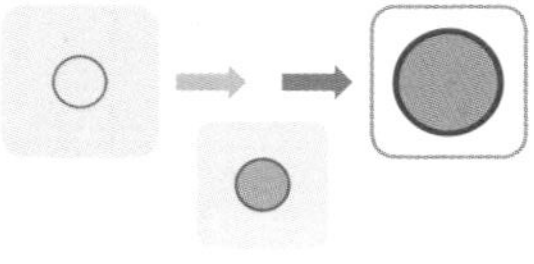

❷ 규칙
➡ 1개가 늘어납니다.
⟶ 위아래가 바뀝니다.

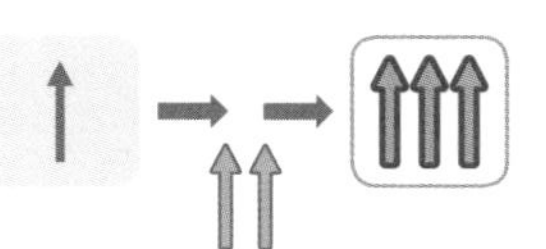

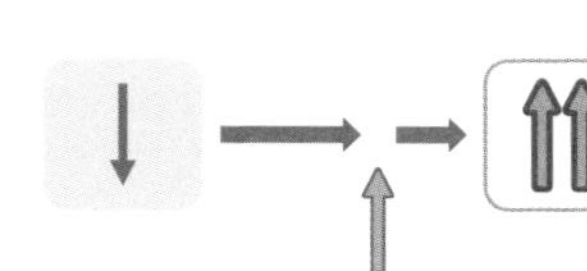

❸ 규칙
➡ 색칠된 칸이 ↘ 방향으로 1칸 이동합니다.
→ 색칠된 칸이 ↙ 방향으로 1칸 이동합니다.

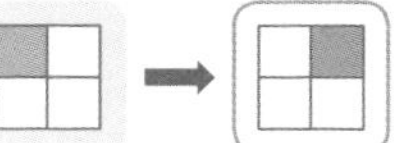

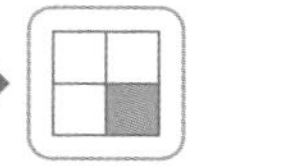

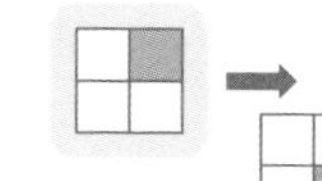

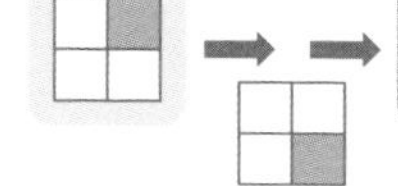

DAY 4 화살표 규칙 찾기 (2)

✎ 화살표 규칙을 찾아 빈 곳에 알맞은 그림을 그리거나 색칠해 보세요.

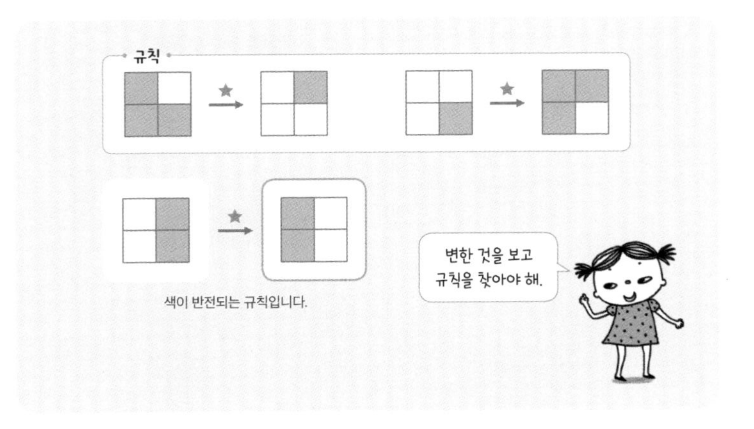

색이 반전되는 규칙입니다.

❶

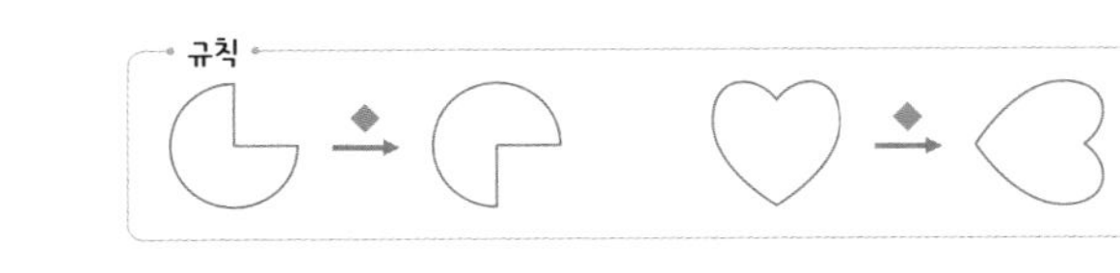

↘ 방향으로 반의 반 바퀴만큼 회전하는 규칙입니다.

❷ ❸ ❹

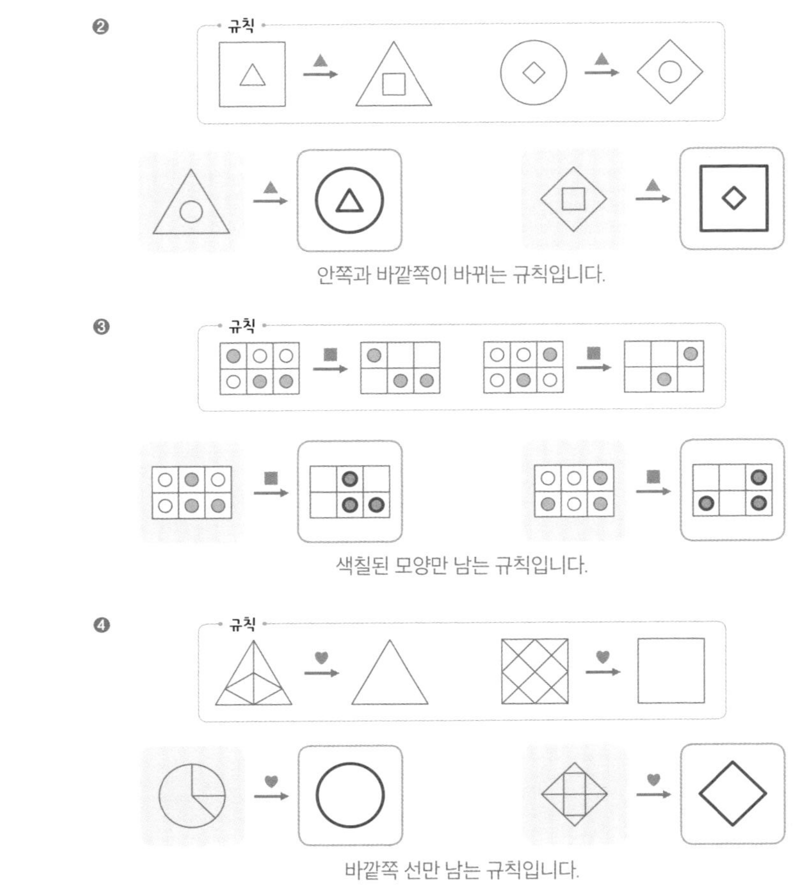

❷ 안쪽과 바깥쪽이 바뀌는 규칙입니다.

❸ 색칠된 모양만 남는 규칙입니다.

❹ 바깥쪽 선만 남는 규칙입니다.

4주차 화살표 약속

DAY 5 모양 합치기

pensées

모양이 합쳐지는 규칙을 찾아 알맞게 색칠해 보세요.

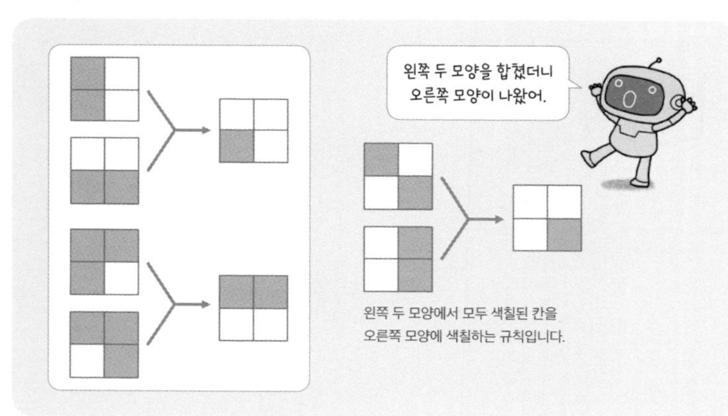

왼쪽 두 모양을 합쳤더니
오른쪽 모양이 나왔어.

왼쪽 두 모양에서 모두 색칠된 칸을
오른쪽 모양에 색칠하는 규칙입니다.

❶

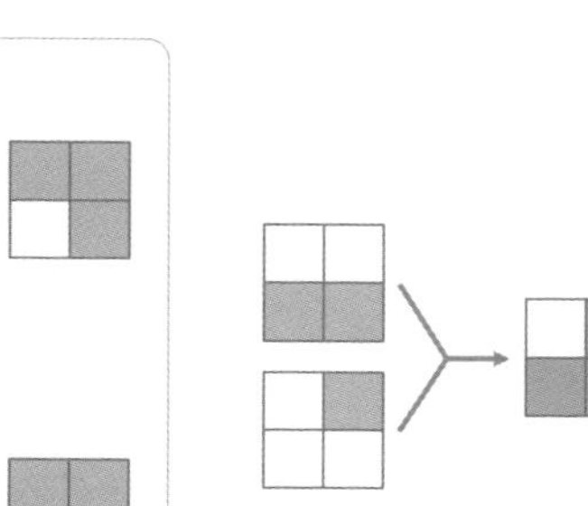

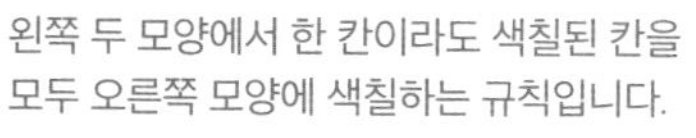

왼쪽 두 모양에서 한 칸이라도 색칠된 칸을
모두 오른쪽 모양에 색칠하는 규칙입니다.

❷

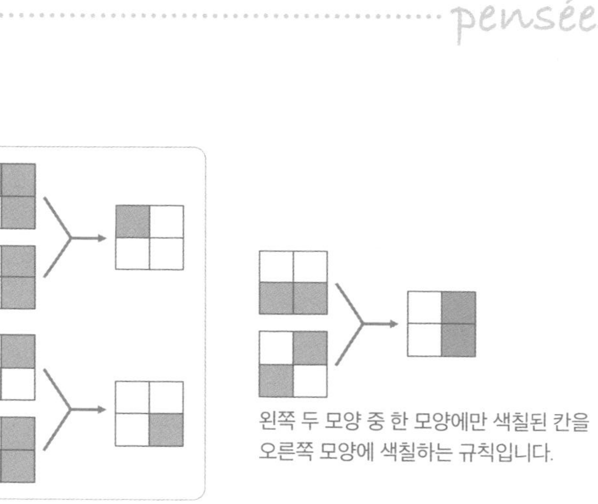

왼쪽 두 모양 중 한 모양에만 색칠된 칸을
오른쪽 모양에 색칠하는 규칙입니다.

❸

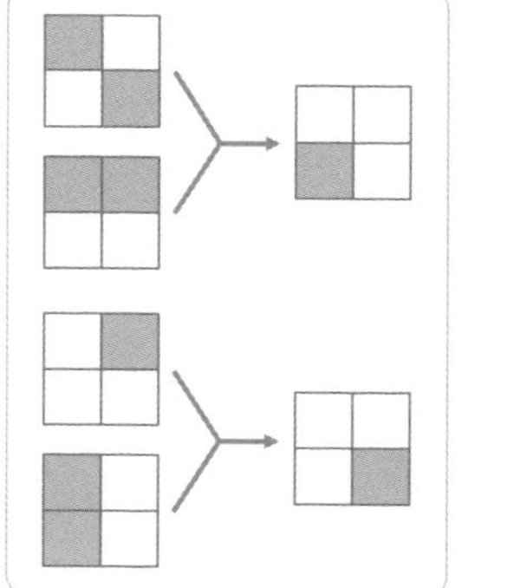

왼쪽 두 모양에 모두 색칠되지 않은 칸을
오른쪽 모양에 색칠하는 규칙입니다.

4 주차

확인학습

화살표 규칙을 찾아 빈 곳에 알맞은 수를 써넣으세요.

❶ 규칙

2를 더하는 규칙입니다.

2 ➡ 4　5 ➡ 7

5 ➡ 1　6 ➡ 2

4를 빼는 규칙입니다.

8 ➡ ➡ 0

8 − 4 = 4, 4 − 4 = 0

7 ➡ ➡ 5

7 + 2 = 9, 9 − 4 = 5

❷ 규칙

3을 더하는 규칙입니다.

2 ➡ 5　3 ➡ 6

6 ➡ 5　7 ➡ 6

1을 빼는 규칙입니다.

1 ➡ ➡ 3

1 + 3 = 4, 4 − 1 = 3

2 ➡ ➡ ➡ 7

2 + 3 = 5, 5 − 1 = 4, 4 + 3 = 7

모양이 합쳐지는 규칙을 찾아 알맞게 색칠해 보세요.

❸

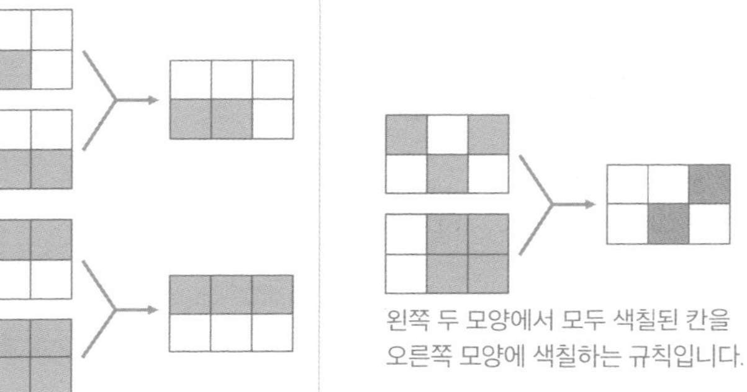

왼쪽 두 모양에서 모두 색칠된 칸을 오른쪽 모양에 색칠하는 규칙입니다.

TEST 1 마무리 평가

제한 시간 15분
맞은 개수 / 5개

✥ 설명하는 것을 찾아 ○표 하세요.

❶

1. 먹을 수 있습니다.
2. ○ 모양입니다.
3. 빨간색입니다.

✥ 우즐카드 6장을 일정한 기준에 따라 분류한 것입니다. 빈 곳에 분류한 기준을 써넣으세요.

❷

곧은 선으로 된 모양입니다. | 굽은 선으로 된 모양입니다.

❸

구멍이 1개입니다. | 구멍이 2개입니다.

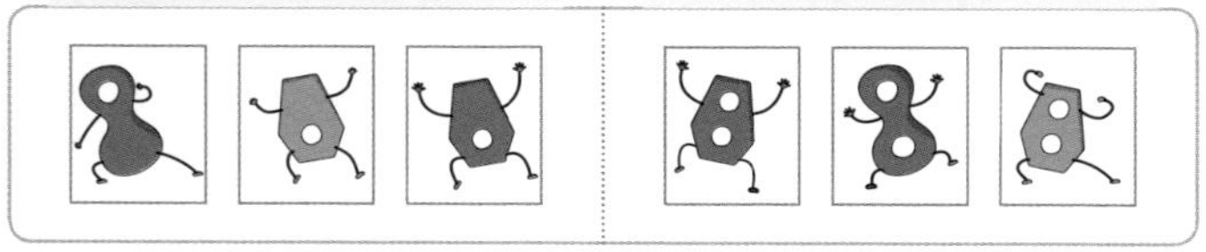

✥ 주어진 카드와 관계가 같은 카드를 찾아 기호를 쓰세요.

❹

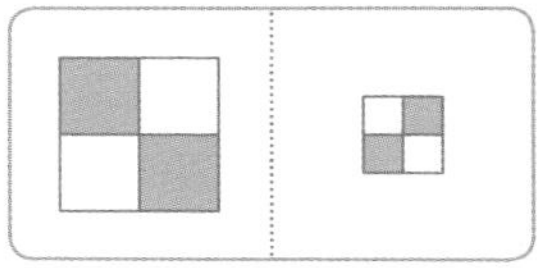

㉠

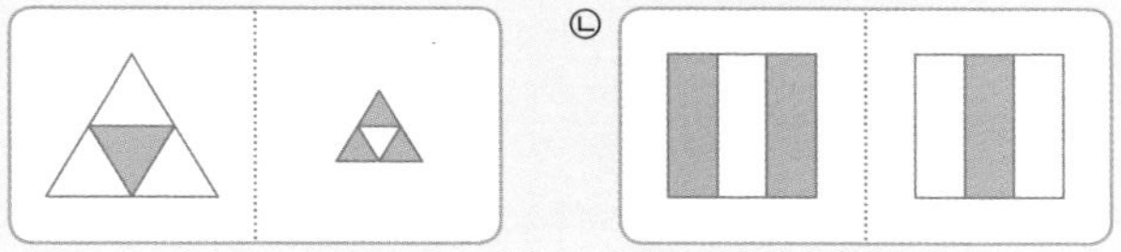

㉠ ㉡

색이 반전되면서 크기가 줄었습니다.

✥ 화살표 규칙에 따라 빈 곳에 알맞은 수를 써넣으세요.

❺

규칙
➡ 3을 더합니다.
➡ 2를 뺍니다.

2 ➡ 5
$2+3=5$

6 ➡ 4
$6-2=4$

3 ➡ ➡ 9
3을 두 번 더합니다.
$3+3=6$, $6+3=9$

5 ➡ ➡ 6
3을 더한 후 2를 뺍니다.
$5+3=8$, $8-2=6$

마무리 평가

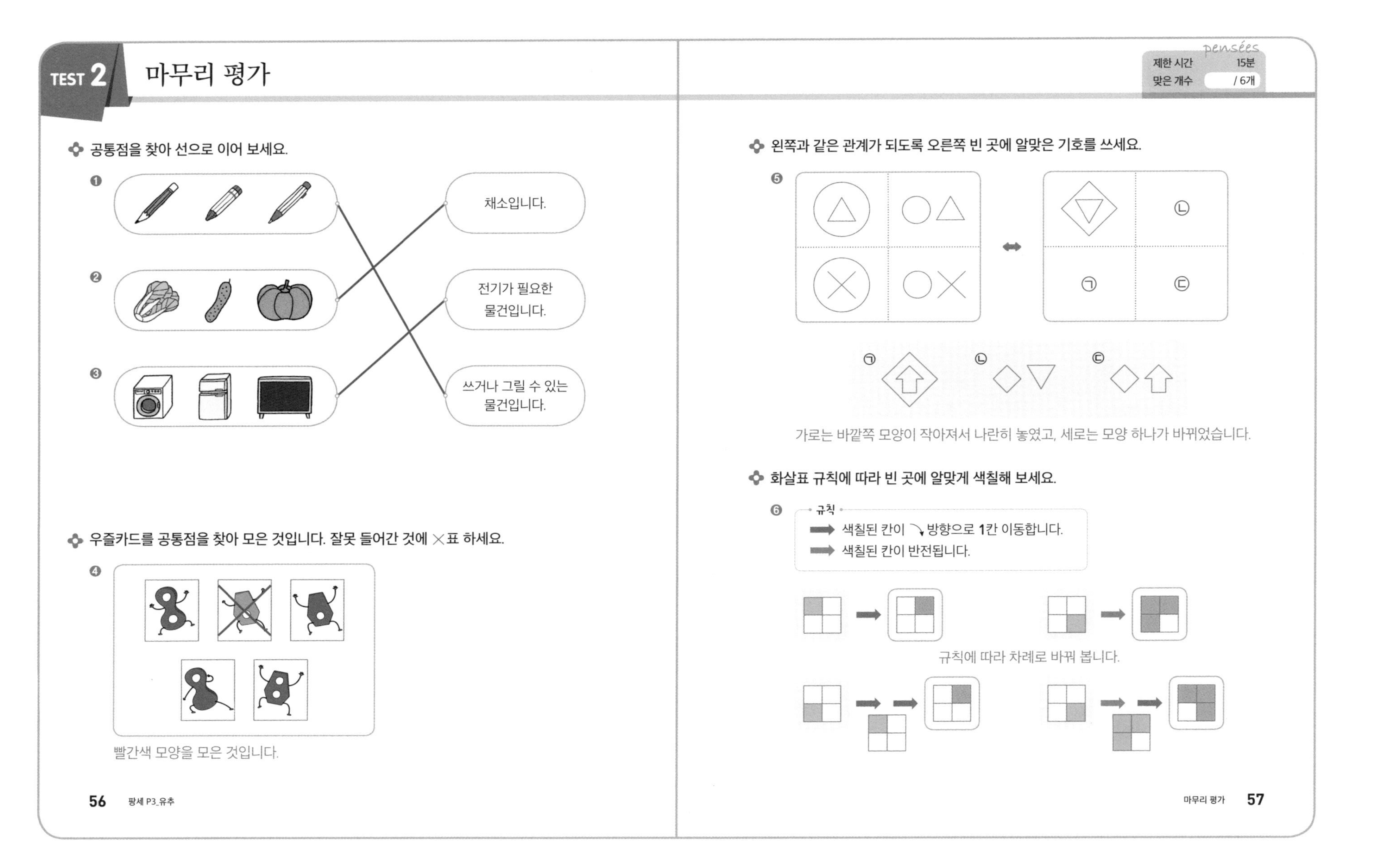

채소입니다.
전기가 필요한 물건입니다.
쓰거나 그릴 수 있는 물건입니다.
㉠
㉡
㉢
규칙
색칠된 칸이 ↘ 방향으로 1칸 이동합니다.
색칠된 칸이 반전됩니다.

✤ 공통점을 찾아 선으로 이어 보세요.

❶

❷

❸

✤ 우즐카드를 공통점을 찾아 모은 것입니다. 잘못 들어간 것에 ×표 하세요.

❹

빨간색 모양을 모은 것입니다.

✤ 왼쪽과 같은 관계가 되도록 오른쪽 빈 곳에 알맞은 기호를 쓰세요.

❺

가로는 바깥쪽 모양이 작아져서 나란히 놓였고, 세로는 모양 하나가 바뀌었습니다.

✤ 화살표 규칙에 따라 빈 곳에 알맞게 색칠해 보세요.

❻

규칙에 따라 차례로 바꿔 봅니다.

TEST 3 마무리 평가

제한 시간 15분
맞은 개수 / 7개

✤ 다른 그림과 어울리지 않는 것 1개를 골라 ×표 하세요.

❶

바나나, 포도, 사과는 과일이지만 당근은 과일이 아닙니다.

❷

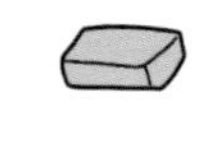
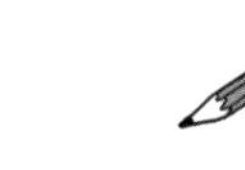

지우개, 풀, 연필은 필통이나 책상 위에 있지만, 숟가락은 부엌에 있습니다.

✤ 우즐카드 6장을 일정한 기준에 따라 분류한 것입니다. 빈 곳에 분류한 기준을 써넣으세요.

❸

굽은 선으로 된 모양입니다. | 곧은 선으로 된 모양입니다.

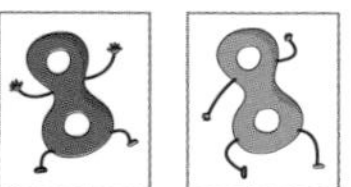

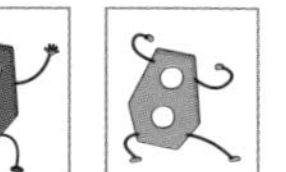

✤ 관계가 같은 것끼리 선으로 이어 보세요.

❹ 색깔이 바뀌었습니다.

❺ 모양을 위아래로 뒤집었습니다..

❻ 개수가 늘어났습니다.

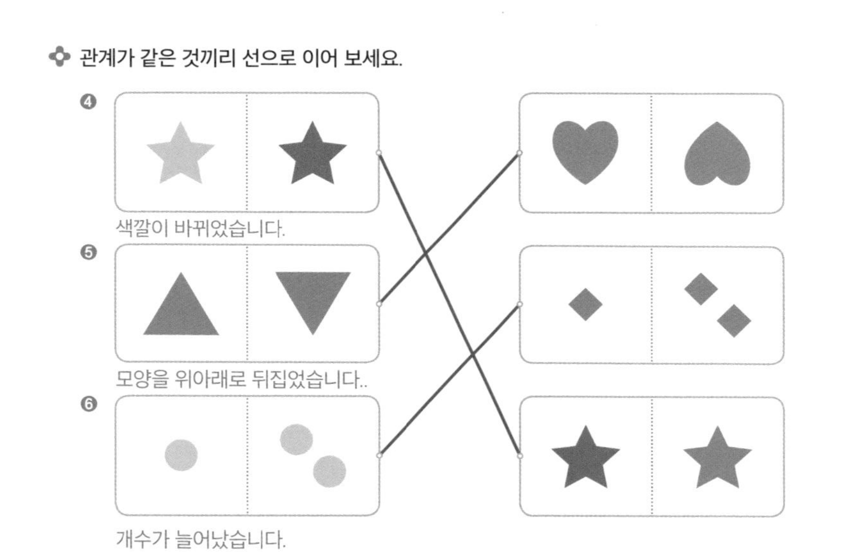

✤ 규칙을 찾아 빈 곳에 알맞게 색칠해 보세요.

❼

규칙

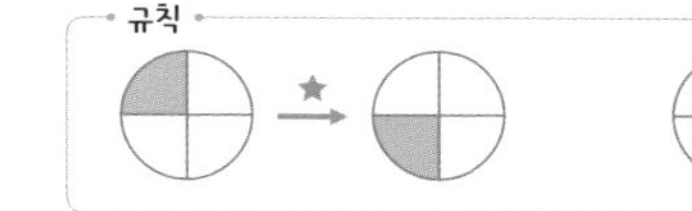

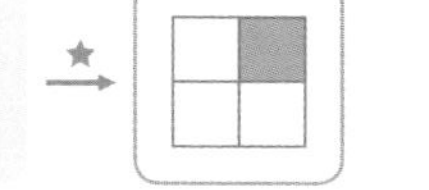
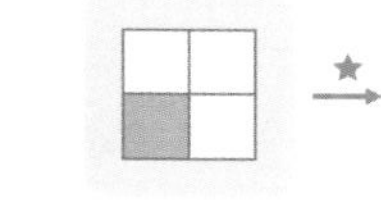

만큼 회전하는 규칙입니다.

TEST 4 마무리 평가

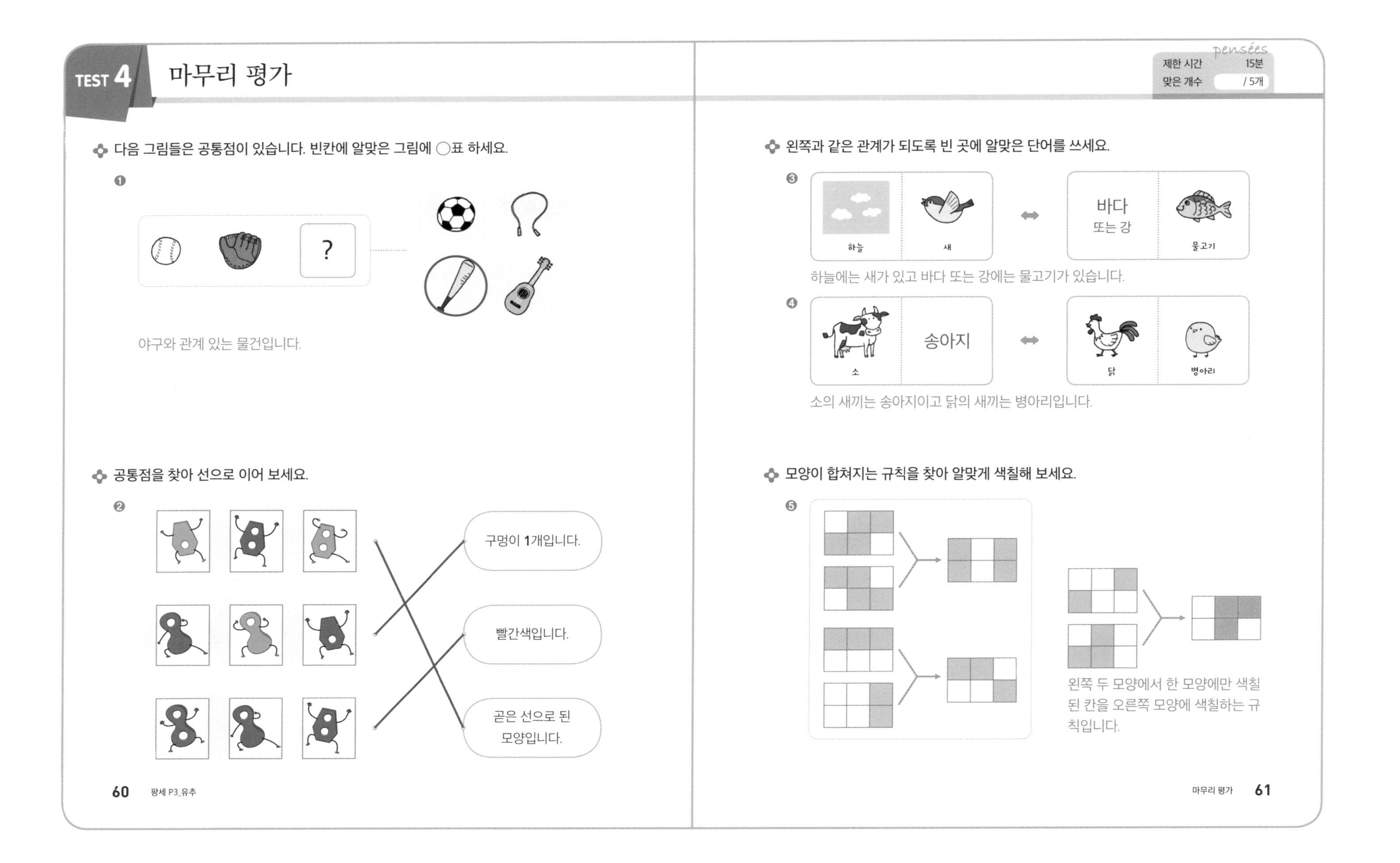

다음 그림들은 공통점이 있습니다. 빈칸에 알맞은 그림에 ◯표 하세요.

❶

야구와 관계 있는 물건입니다.

공통점을 찾아 선으로 이어 보세요.

❷

왼쪽과 같은 관계가 되도록 빈 곳에 알맞은 단어를 쓰세요.

❸

하늘에는 새가 있고 바다 또는 강에는 물고기가 있습니다.

❹

소의 새끼는 송아지이고 닭의 새끼는 병아리입니다.

모양이 합쳐지는 규칙을 찾아 알맞게 색칠해 보세요.

❺

왼쪽 두 모양에서 한 모양에만 색칠된 칸을 오른쪽 모양에 색칠하는 규칙입니다.

TEST 5 마무리 평가

제한 시간 15분
맞은 개수 / 7개

✤ 주어진 단추의 공통점을 써 보세요.

❶ 

구멍이 4개입니다.

❷ 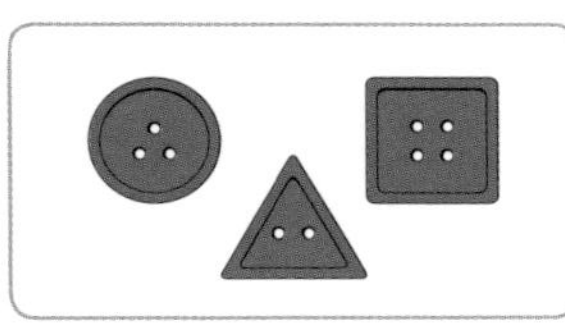

보라색입니다.

✤ 기준에 따라 분류한 것입니다. 빈 곳에 분류한 기준을 써넣으세요.

❸

과일입니다.	과일이 아닙니다.

✤ 관계를 찾아 빈 곳에 알맞은 모양을 그리거나 색칠해 보세요.

❹ 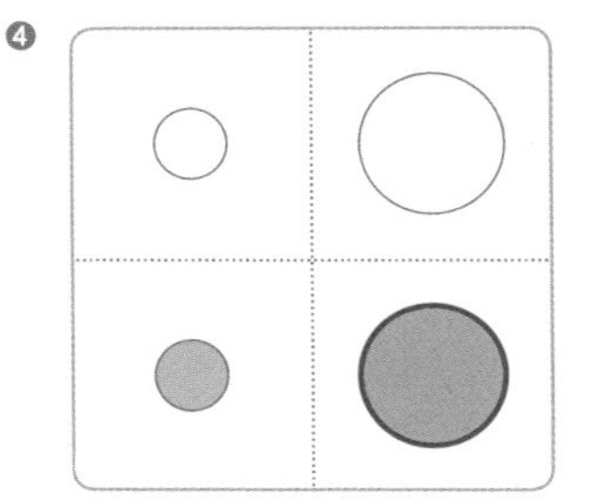

가로는 크기가 커졌고,
세로는 색칠하였습니다.

❺

가로는 좌우로 뒤집은 모양이고
세로는 색이 반전되었습니다.

✤ 화살표 규칙을 찾아 빈 곳에 알맞은 수를 써넣으세요.

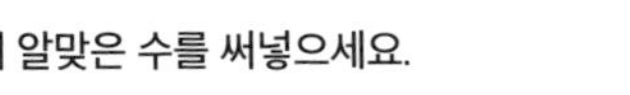

❻ 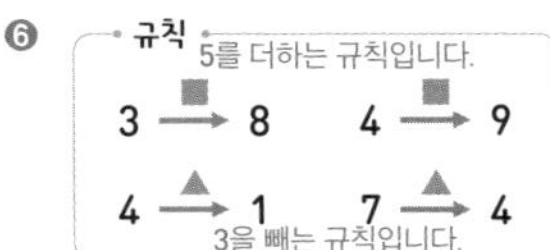

규칙
■: 5를 더하는 규칙입니다. $3 \xrightarrow{■} 8$, $4 \xrightarrow{■} 9$
▲: 3을 빼는 규칙입니다. $4 \xrightarrow{▲} 1$, $7 \xrightarrow{▲} 4$

1 →■ →▲ 3

1+5=6, 6−3=3

8 →▲ →▲ →■ 7

8−3=5, 5−3=2, 2+5=7

❼

규칙
★: 1을 더하는 규칙입니다. $2 \xrightarrow{★} 3$, $5 \xrightarrow{★} 6$
☆: 4를 빼는 규칙입니다. $6 \xrightarrow{☆} 2$, $8 \xrightarrow{☆} 4$

7 →☆ →★ 4

7−4=3, 3+1=4

4 →★ →☆ →★ 2

4+1=5, 5−4=1, 1+1=2

pensées

pensées

씨투엠 지식과상상 연구소 since 2013

교재 소개 및 난이도 안내

*일부 교재 출시 예정입니다.

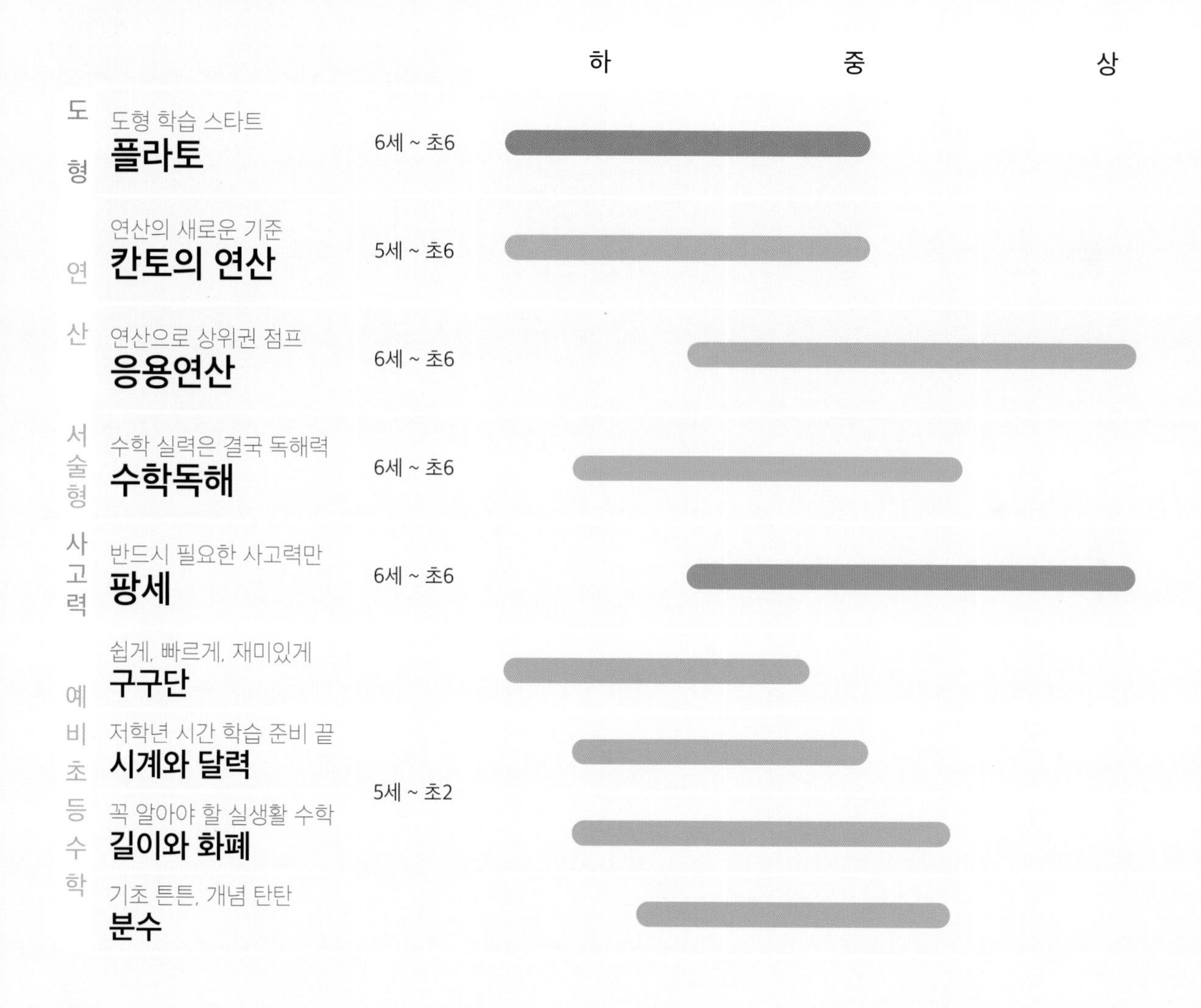

Man is but a reed,
the most feeble thing in nature;
but he is a thinking reed,

"인간은 자연에서 가장 연약한 갈대에 불과하다.
하지만 인간은 생각하는 갈대이다."

Blaise Pascal, 블레즈 파스칼